音楽、映画、アート、食、そして旅。
96のキーワードでひもとく立川直樹という生き方《スタイル》。

I Stand Alone

語り手 立川直樹　書き手 西林初秋

青幻舎

九十六の手札の向こう。

どうして立川直樹さんについての本がないのだろう。あれほど人について、時代について書き、語っているのに。いろいろな人の作品をプロデュースし、音楽、アート、映画、出版など、さまざまな領域で八面六臂の活躍をしているのに、自分についての本がないのです。つねづね不思議に思っていました。

ＦＭ ＣＯＣＯＬＯの番組で毎週のように声を聴けるようになり、たまに料理店や箱根の温泉で同じ時間をごいっしょさせていただくようになってから、その思いはますますつのっていきました。

こんなスタイリッシュな人はいない。

ファッション的にスタイリッシュな人はいます。生き方や存在そのものがスタイリッシュな人って、この日本ではほとんどお目にかかれません。

この生き方＝スタイルは、どこから育まれたのだろう。

それが知りたい。

良識のある人ならば、立川さんのような多芸多才の博覧強記、スタイルの巨人の懐に飛び込もうとするのは、それ自体が無謀なことで、挑もうとするまえにその思いにそっと蓋をするのでしょう。

その点、身の程もかえりみず、考えるまえに跳ぶのがわたし。ふとある企画が降りてきて、それを立川さんの携帯電話へメールしたのです。

ボーダーや、カテゴリーや、肩書きなどはひょいと越えて、常識や既成概念なども軽やかに超越して、あらゆる領域で、いつの時代も、さまざまな人と、遊ぶように仕事を重ねる。そんな立川直樹という人物像を、誰が一本のストーリーにまとめることができるだろうか？　会った人の数だけ立川直樹像があるかもしれない。それほど多彩で、自由で、ミステリアスだからこそ、男も女も惹きつけられるのだ。

ただ、読む人に手札を配ることはできるかもしれない。ゴダールの「勝手にしやがれ」ではないけれど、我々は手札を配るだけで、あとは読み手が勝手にそれぞれの立川像を組み立てればいい。

それには語りおろしという形態がふさわしい。わたしは聞き手と書き手に徹して、立川さんのことばを拾っては、時計職人のように背中を丸めて原稿を埋めていけばいい。

その十分後です。立川さんから電話がかかってきました。

おもしろそうだからやろうか!

仕事ができる大人に共通しているのは、レスポンスがはやいこと、連絡が端的であること、そして相手を年齢や経歴や肩書きで判断しないこと。立川さんはその筆頭です。

それから、あるときは東京のホテルのスイートルームで、あるときはイタリアンレストランで、あるときは大阪の料理店で、あるときは万博記念公園のイベント会場の楽屋で、取材ともインタビューとも雑談とも区別のつかないことばのやりとりが繰り広げられました。立川さんを独り占めできるその時間はとても貴重で、飛び出すことばはどれも刺激的。わたしにとっては驚きと発見と感嘆の宝庫でした。

はじめての取材のときです。予定の二時間を終えたとき、

「ぼくもいろいろな人とやってきて、インタビューはうまいと思っているけれど、西林さんもうまいね。ことばの格闘技をしているようだったよ、ありがとう」

と、あの独特のかわいい笑顔を浮かべながら立川さんがおっしゃったのです。それまで張りつめていたものが一気にほぐれると同時に、これでうまくいくと確信のようなものを得たのはそのときです。

ことばは九十六の手札にまとまりました。

その向こうに現れる、あなたの立川直樹はどんな人でしょうか？

わたしの場合は、現れたイメージをタイトルにしました。

I STAND ALONE.

どこまでも自由で、個であることを大切に、基準はすべて自分にあり、どんな状況でもブレない。しかし孤立はしない。スタイルとは生き方だと背中で教えてくれる大人。

それがわたしにとっての立川直樹です。

西林初秋

I Stand Alone
Contents

前夜

音の嵐

光のなかで

ART WORKS

聖と俗

アナログ原人

DAYS

人生は祭りだ。ともに生きよう。

空の下

食と酒

流儀

前夜

テオ・マセロ

中学生くらいのとき、レコードでも映画でも、歌手とか役者の顔は出てくるけど、プロデューサーって見えてこない。だけど「プロデュースド・バイ・誰々」って、最初か最後にクレジットされているんです。それが黒幕っぽくってかっこいいと思ったんですよ。

覚えているのはマイルス・デイビスのLP。僕は中学生くらいからマイルス・デイビスなんかも聴いていました。

ジャケットを見ると「プロデュースド・バイ・テオ・マセロ」ってクレジットされていた。いまはインターネットで検索すれば顔写真なんて簡単に見ることができるけれど、当時はそんなものがない時代。テオ・マセロって誰だってことですよ。それにその名前が僕には衝撃でした。ジョージでもジョンでもなく、テオっていうのがかっこよくて惹かれたんです。

僕が中学二年のときにビートルズがデビューするんですが、彼らのレコードにも「プロデュースド・バイ・ジョージ・マーティン」ってクレジットされていました。

なるほど、ジャンルにかかわらずプロデューサーっているんだとわかったんです。それでいろいろなＬＰのジャケットを調べていくと、ひとりで何人ものミュージシャンやアーティストをプロデュースしている人がいる。

僕の性分として、ひとつのことを追求するよりもいろんなところに枝葉を伸ばしていくのが好きだから、プロデューサーこそ、僕の天職だと思ったんです。

プロデューサー

中学の三年くらいにボリス・ヴィアンと出会いました。古本屋で『墓に唾をかけろ』を見つけて。表紙のイラストは杉村篤さん。もともとは漫画家でデビューして、後にイラストレーターに転向した人ですが、杉村篤さんのちょっとエロチックな絵がタイトルと合っていて、もの凄くかっこいいと思って買ったんです。

まあ、小説自体は、中三の頭にはおもしろいんだかどうなんだか、もてあますところはあったんだけど、本の最後に翻訳家の伊東守男さんが、「ボリス・ヴィアン その平行的人生」という長いあとがきを書いていて、そこに書かれたボリス・ヴィアン像がよかった。

職業をひとつしかもたないのは売春婦と同じだ、というボリス・ヴィアンの言葉を紹介していて、それにはしびれましたね。

また、『墓に唾をかけろ』は、ボリス・ヴィアンが書いた小説の一冊目なんですが、出版社の社長と話しているとそんなアメリカ風のハードボイルド小説なら俺が書いてやるよと言って、ヴァーノン・サリヴァンというペンネームで書いたと紹介されていたんです。

歌手であり、ミュージシャンであるだけでなく、作家や詩人でもあったボリス・ヴィアンの数々のエピソードの、どこまでが本当で、どこからが作られたものなのか。そんな正しいフェイク感に惹かれて、ああ、僕の人生もこれだなぁって思ったわけです。

それまでのプロデューサー像とボリス・ヴィアンが混じった感じ。十四歳か十五歳の頃ですよ。絶対にプロデューサー的なことをして生きていきたいと思ったし、プロデューサーとして生きていくって決めたんです。

僕は元来、思ったことはやるし、やれるっていう妙な思い込みもあったし、だからかどうかわからないけれど、実際にやれてきましたしね。

バンド

十代の頃にバンドを組んでいたからかもしれないけれど、バンドで食っていけなくなってプロデューサーになったと誤解している人がいるんです。それは違うの。まったく逆。プロデューサーになるためにバンドを始めたのが正解なんです。

というのもプロデューサーってどうすればなれるのかわからなかった。お手本のような人も日本にはいなかったし、ハウツー本もありません。

そこで僕が思ったのは、まず、その業界に入らなければいけないということ。業界の近くにいなければプロデューサーがなんたるかはもちろん、言語形態的にもその仕事や役割なんかの謎もとけないので、何はなくともエンターテインメント業界に入らなければいけない。そのための近道は何かと考えたときに、バンドがいちばん手っ取り早いと思ったんです。

小さい頃からバイオリンとかを習っていたことがあったので、近所の仲間の、みようみまねで始めた子よりも演奏はうまかったんです。

家にはレコードもたくさんあって片っ端から聴いていたし、映画も観まくっていたから、同じ世代のアマチュアバンドの子たちよりも素養はあったと思うし、環境的にも恵まれていました。

だからバンドを組むと、すぐに少し上級のバンドからウチに来ないかってスカウトの声がかかりました。

そんなことを何度も繰り返していくうちに、近所の子たちのアマチュアバンドからちょっとセミプロっぽいバンドへ行って、次はプロのバンドへと、トントントンとステップアップしていきました。

臨機応変

バンドをしていた頃も、音楽以外にいろいろ動いていました。

おもしろそうと思えば参加したくなる。成功するにせよ失敗するにせよ、後のいい勉強になると思っていたから、あまり結果を気にせずに動こうとしていた記憶はありますね。

当時、銀座に「キラー・ジョーズ」というディスコのはしりのような店があったんです。田名綱敬一さんが壁にイラストを描いていた店で、赤坂の「ムゲン」と双璧をなしていたと僕はいまでも思っているんですがね。

あるとき経営者の立間さんに、今度何が流行るんだって聞かれて、それはロックですよって偉そうに言って海外のクラブシーンのことなどを話していたら、おまえ、じゃあ、そのロッククラブみたいな店をやってみろという流れになっていって、青山のキラー通りのアトリウムの手前で「サンラザール」って店をやることになったんです。

一般の人にはまったく受けなかったんだけど、限られた人には凄く受けて、宇野亜喜良さんとかコシノジュンコさんとかはよく来てくれました。

ある日、銀座のお姉さんがふらりとやってきて、かっこいいお店ね、また来るわよって言って帰ったことがあったんですが、数日後、本当にアフターでおやじを連れてきたんです。お酒を飲んだり、踊ったりして楽しんでくれて。それで帰るときに伝表を見たお姉さんが、トイレへ行くふりをして僕のところに来て、

「あなた何やってんのよ。六千円ってなんなの。安すぎるわよ。もっと取りなさいよ。いいから前に二ってつけちゃいなさいよ」

って言うんですよ。いいんですかって聞くと、いいわよ、あの人たちも楽しんでいるんだから取っちゃいなさいよってわけ。

僕も気がきく方だから、店のマネージャーに一万円を入れた封筒を用意させて、お姉さんに車代と言ってそっとわたすように指示したんです。するとそれが銀座のお姉さんの間で評判になって。あそこへおやじを連れて行くとキックバックがもらえるって、どんどん来るようになった（笑）。

おやじたちもアフターで寿司を食うより、ザ・ローリング・ストーンズ

を聴いて、踊っているお姉ちゃんを見てる方がいいってよろこんじゃって。今度、うちの部下を連れてくるからって、人気店になったんです。

驚いたのは経営者の立間さん。この売り上げは何なんだってびっくりするわけですよ。

まあ、僕としては売り上げより、そんな経験を通して、臨機応変に動くことが流れを作るためには大切なんだってことを学んだことの方が大きかったですね。

二十歳

たいていのバンドでは僕がいちばん年下でした。だけど選曲したり、曲順を決めたり、ステージはこうしようとか、衣装や照明とかはこうしようと考えて、指示していたのは僕でした。

ほかのメンバーは音楽さえできればいいという人ばっかりでね。それをいいことに、演奏以外のことは僕のやりたいようにできたんです。それが後のプロデューサー業のとてもいい基礎勉強になりました。

自分のなかでバンドは二十歳までと決めていました。どんなに売れた状況にあっても辞めるつもりでした。バンドはプロデューサーになるための手段だったからね。

実際、最後のバンドは売れていたんですよ。R&Bのバンドで、音的にも凄くイカしていて、座間や横須賀の米軍キャンプでも大人気でした。

ワンステージが当時のお金で百ドル。月二十ステージくらいこなして、それをメンバーとマネージャーで分けるんです。みんな車に乗っていたし、ボーヤも三人くらいいたし。

でも、そんな状況に未練はありませんでしたね。めざすものがお金ではなかったから。

前夜

一九六九年、二十歳になると予定通りバンドを辞めました。

まずしたことは、「チャップリン映画祭」。当時、ロンドンのノッティングヒルゲートの蚤の市みたいなところでチャップリンの8ミリフィルムを売っていたんです。それを買ってきた友だちがいて、権利もそんなにうるさい時代ではなかったから、「チャップリン映画祭」なんて銘打ってやったわけです。

あとは、アメリカのアンダーグランドフィルムなんかの上映会。当時、金坂健二さんとかがやっていたことと連動して、シネマテークのできそこないのようなことをしたんです。そのほかファッションショーの演出やモデルなんかをして小銭を稼いでいました。

そんなときに神田共立講堂で「ヘッドロック」というコンサートをやったんです。

日本で初めてのライトショー。会場全部をスクリーンにしたサイケデリックショー。外国のアンダーグランドフィルムに映っているジェファーソン・エアプレインやグレイトフル・デッドがやっていたライトショーを、こんなものじゃないかなと想像して再現したんです。

バンド時代に知り合った、内田裕也さんがプロデュースしていたフラワー・トラベリン・バンドとザ・モップスとザ・ハプニングス・フォー・プラス・ワンに出てもらって、結成してすぐの頭脳警察も出して、まあ、当時としては画期的で、観る人の度肝を抜いたコンサートでした。

そのコンサートを、ザ・タイガースのマネージャーをしていた中井國二さんが観に来ていたんです。

中井さんは多摩美を出て渡辺プロダクションに入った人。ものすごく世の中の動きを敏感に察知する人で、その感性と行動力がザ・タイガースを成功させた要因のひとつだと言っても過言ではないと思います。

「ヘッドロック」終演後に中井さんが僕のところへ来て、実は今年の夏にザ・タイガースをメインにした、田園コロシアム初の野外コンサートを企画しているんだけど、今日のコンサートがすばらしかったので舞台美術とかやってくれないかって、突然依頼されたんです。

　思ってもいない、びっくりするような提案だったんだけど、当時の僕は若くていま以上にとんがっていたから、

「話としてはおもしろいけど、やりたいように好きにさせてくれるのならやる」

って、生意気なことを言ったんですよ。そしたら中井さんは好きにしていいって答えてくれて決定しました。

　いい時代でした。実績とか経験とか、マーケティング的なことなんてまったく関係なく、直感で物事を動かせた時代だったんです。

ザ・タイガース

ザ・タイガースをメインにした田園コロシアムのステージは、一九七〇年八月でした。僕にとって初めてのビッグ・イベントだったけれど、僕は普通じゃないことをしたかった。

コクトーの映画なんかを観たり、ポール・デルヴォーとかルネ・マグリットとか、シュールレアリスム的な人たちの作品が好きだったし、日本でも金子國義さんとか宇野亜喜良さんとか、そんな人の作品を観ていたから、普通じゃないことをしたいっていう欲望は人一倍あったんですよ。

結果は、むちゃくちゃうまくいったんです。自嘲ぎみに言うと、俺って天才じゃないかなと思ったくらい何もかもがうまくいった。

舞台設備の予算が、僕のプロデュース費も含めて三百万円。当時の大卒の初任給が三万九千円くらいですから、ある意味やりたい放題。舞台に一六メートル×九メートルのアクリルの透明のステージを作って、その下から照明をあてたりしました。

サブステージも作ったんですよ。ザ・ローリング・ストーンズがサブステージを使った「ブリッジス・トゥ・バビロン」ツアーは世界的に大成功を収めて、それ以後、サブステージはどのアーティストも取り入れるようになったけれど、そのストーンズのツアーは一九九七年ですから、その二十七年も前にやっているんですよ、僕は。

ほかにもアドバルーンを上げて、それに映像を映したり。

当時はステージの制作会社なんてありません。親父の建築会社の職人にお願いしてイントレを組んでもらったり、照明のタワーまで組んだんです。本当に、巨大なサーカス。ロックンロール・サーカスですよね。

そのステージがみんなの度肝を抜いたんでしょう。新聞には八段分くらいの記事で、「二十一歳の団塊の世代の天才現る」って出たんですから。

そしてその記事を読んだ、当時キョードー東京の興行部長だった上條恒義さんが僕に会いに来るんです。

これからキョードーもロックの時代になる。まずはその年の十二月に銀座の日劇でロック・カーニバルを企画していると。ジョン・メイオールとハービー・マンデルとラリー・テイラーのバンドがメインアクトで、ほかにも日本のいろんなバンドが出るので、その舞台美術と演出をやってくれないかと依頼されたんです。

バンドを辞めて一年ほどの経験しかないのに、その年の暮れの日劇の楽屋には、演出の先生として僕の部屋があったんです（笑）。

求められるもの

田園コロシアムのザ・タイガースのコンサートのとき、僕は照明の技術的なことをあまりよくわかっていなくて、青木照明研究所の青木さんに助けてもらいました。照明に関する用語とか、こういうときにはこうすればいいっていう技術的なことを全部教えてくれたんです。教えてもらえるって若さの特権ですよね。

僕はこんなことをやりたいってアイデアを出すだけで、ちょっと遠慮気味なところもあったんですが、青木さんにしてみればその反対で、

「僕らにはノウハウはあるけれど、そんなアイデアがない。立川さんのようなアイデアの人と組まなければいけない」

って逆に感謝されたんです。

なるほどなって思いましたね。求められるのは、専門的な技術や知識よりアイデアなんだと。

いまもデジタルが発達すると、みんなそれを使っていろんなことをみようみまねでしようとするけれど、僕は、技術的なことはそれがすごくできる人に頼めばいいと思っています。自分で一から技術を取得する時間がもったいないとも思っています。そんな時間があるなら、その間にアイデアを磨くほうがずっといい。

そして田園コロシアムのザ・タイガースのコンサートを通じて、アイデアとか発想とかセンスがあればそれがお金になることを学びました。

これで僕は、プロデューサーとして生きていけるとも思いましたね。

十五歳くらいにプロデューサーになると決めて、二十一歳の年の暮れにはプロデューサーで生きていけるという手応えを覚えました。

最初の日劇のロック・カーニバルのとき、ジョン・メイオールとハービー・マンデルを羽田空港まで迎えに行って、僕はハービー・マンデルと一緒に車でホテルへ向かったんです。

このロック・カーニバルの協賛の一社に楽器メーカーのテスコが入っていて、アンプはテスコを使うことになっていた。ハービー・マンデルが僕に、日本にフェンダーはないのかって聞いてきたんです。ありますよって答えると、使っていいのかって言うから、大丈夫なんじゃないですかって軽く答えたんです。若いし、まだ役割区分がわかっていなかったんです。

その翌日ですよ、大会議室でキョードー東京の上條さんが開口一番、「今回はキョードー東京として初めての試みで、いろいろな企業やプロが参加した、大きな船のようなプロジェクトです。だからこそそのはじまりに際して言っておきたいことがあります。それぞれの領域があるので、それは守ってもらいたい。よろしくお願いします」

って言ったんです。僕のことを言ってるのかなって思っていたら、

「たとえで言うと、うちの荷物にアンプのこととか言った人がいるみたいですが、そんなことはやめてもらいたい」

って続いたわけです。完全に僕のことだとわかったと同時に、アーティストのことを荷物って言ったのが頭にきて、

「上條さん、申し訳ないですけど、アーティストを荷物って言う人と、僕は仕事するつもりはないですから」

って言うと、いきなり灰皿が飛んできた（笑）。もちろん当たるようには投げてはいないんだけど、声は激高ですよ。

「なんだよ、テメエ。俺の言うことはちゃんと聞け！」

僕も生意気だから
「聞けることと聞けないことがあります」

「なにを！」

ってことになって、僕は席を立って部屋を出て行ったんです。

上條さんを怒らせるわ、口答えはするわ、おまけに部屋から出て行く

わって、もうまわりは慄然としてたね。

その日は帰ったけれど、翌日から現場で仕事はしました。ただ、上條さんとはその日からひとことも口をきかなかった。ロック・カーニバルが終わっても一ヵ月くらいは話をしなかったんじゃないかな。

僕も勉強しました。こいつだと思って仕事を頼んで、お金を払うと今度は雇用主として振る舞う。その切り返しは見事だと思いました。

しかし現場は困りますよね。こんな関係のままだったらお互い損になると思ったキョードー東京の若い人が僕のところへやってきて、

「立川さん、上條さんもシェイクハンドしたいはずなんですけど、ああいう人ですから自分から言えないんですよ。私が一席設けますから付き合ってくださいませんか」

と言われました。そして食卓を囲んで和解しました。それからはとても親密な関係になって、上條さんが亡くなるまで本当によくしていただきました。盆暮れの付け届けなんて、本来なら僕がしなければいけない立場なんだけど、上條さんがずっと贈ってくれたんだから。

おもしろいのは、それが毎回、千疋屋の果物だったこと。当時の千疋屋

は、宅配業者や郵便局には届けさせないの。千疋屋の社員がスーツ着て、白手袋をはめて持ってくるんです。

上條さまからのお届けものです。おあらためくださいって言ってね。

かっこいいよね。

カルメン・マキ

僕は二十歳でバンドを辞めたわけですが、その後もいろいろ誘いはありました。ただ、ぜんぶ断った。その禁を破ったのは一度だけ。それがカルメン・マキとの出会いです。

当時、ロックとフォークは対立していて、仲が悪かったんですよ。カルメン・マキは一九六九年に「時には母のない子のように」が大ヒットしたからフォークってイメージがあったけれど、あの歌は本人の意向を無視して、天井桟敷とソニーの製作サイドが無理矢理に歌わせたものなんです。

その後、マキはジャニス・ジョプリンを聴いて、天からの啓示だというくらいシビれて、ロックをやりたいと思うようになった。だけどロックミュージシャンはマキのことをフォークの歌い手って思っているから、誰も耳をかさない。それで友人であった亀渕友香が、協力してやってくれないかってマキを連れて来たんです。

僕はフォークかロックかというより、おもしろいかそうでないかが判断基準だったから、やろうと思ったわけです。

ただね、やっぱりミュージシャンが揃わないんですよ。四方八方を探し回ってなんとか探し出したのが近田春夫と金沢純。近田はキーボードで、金沢はドラムスだからベースがいない。仕方ないじゃないですか。禁を破ってベースを持ちました。

このバンドがカルメン・マキ&タイムマシーンで、後のカルメン・マキ&OZにつながっていくんです。近田春夫はこのバンドがプロデビュー。

第一回目の日劇でのロック・カーニバルにはカルメン・マキ&タイムマシーンも出演していたので、僕は照明と舞台演出をしながらバンドの一員として出演もしていたんですよ。

ライター

ライナーノーツを書くきっかけは、音楽評論家で「サンラザール」にも遊びに来ていた大森庸雄さんです。音楽が好きでこんなに詳しいんだからライナーノーツを書けばいいいんじゃないと言って、僕を、当時、東芝レコードにいた石坂敬一さんに紹介してくれたんです。

そこからライナーノーツや雑誌に書く仕事が増えていくんですが、それは僕にとっては転身じゃないんです。イベントの仕事も辞めないし、ずっとプロデュースをしていきたいから、書くという仕事がひとつ増えたという感じ。

その頃になると音楽の世界も少しずつ予算的に厳しい時代になっていて、舞台とか照明にそれほどお金をかけることができない雰囲気になっていました。そんなときに書く仕事がどんどん舞い込むようになって、七〇年代はライナーノーツや雑誌の連載が多くなりました。だから収入的には困らなかった。

書く仕事をしたことはなかったけれど、書けないとは思わなかったですね。聴いている音楽や読んでいる本、観ている映画の質と量には絶対の自信があったし、ほかの人のライナーノーツも、生意気だけれど僕だったらもっとうまく書けるのにと思っていましたからね。雑誌の記事にも、詩的な表現やロマンチックなエッセンスがもっとあってもいいだろうと思っていました。

だから僕は、ほかの人が書いていないことをできるだけ盛り込もうとした。それは雑誌の記事だけでなく、ライナーノーツも映画評もそうしました。単なるストーリーの紹介だけで終わるのではなく、音楽のことを取り上げたり、背景やほかの作品との関係を盛り込んだりして、厚みや深みを加えていきました。

ほかの人との違いを際立たせようというより、僕が読みたいと思う文章をめざしただけなんですけどね。

それを読んでびっくりしたのが編集長たち。おまえ、若いのになんでこんなことが書けるんだって感心されました。だから仕事はどんどん増えました。

また、それまでの音楽評論って、アメリカのポップスの人、ジャズの人、フランスのシャンソンの人、クラシックの人って分かれていたんですよ。

ちょっとクロスオーバーしていたのは福田一郎さんくらい。

僕は、ロックは聴いているし、ジャズは聴いているし、ラテンもクラシックもシャンソンもカンツォーネも聴いていた。それにアートも好きだったからアートロックも書けるわけですよ。当時、アートロックはほとんど書ける人がいなかった。僕と今野雄二さんくらい。だから石坂さんは重宝したんだと思います。

プログレといえば立川直樹ってイメージができあがったのは、アートと音楽を融合した人たちと同じ世界にずっといたからです。

だからデヴィッド・ギルモアにしろ、ブライアン・フェリーにしろ、デヴィッド・シルヴィアンにしろ、インタビューやプライベートで話していても共通の言語形態で話せるので盛り上がるし、急速に近づくことができたと思っています。

フレディ・マーキュリーが「インタビューはナオキだ」って指名するまでになったのも、同じ世界にいる人間と感じてくれたからだと思いますね。フレディの記事なんて、僕が「音楽専科」と「ミュージックライフ」用にそれぞれを書き分けていたんですから（笑）。

百四十一歳の、ブラザー関係。

編集者・作家　森永博志

「初めて会ったとき、ふたりの年齢を合わせた三十九歳は、ボリス・ヴィアンが亡くなった歳だ」とミックに教えられた。

一九六九年の秋に、僕らは渋谷南平台のアップルハウスで出会った。そのときミックは二十歳、僕は十九歳。三十九歳で亡くなったボリス・ヴィアンは、ミックが少年時に最も感化された作家であり、もうひとり、ミックはブライアン・ジョーンズに心酔したが、そのブライアンは一九六九年に夭逝していた。以来、五十年、年齢を合わせたら、百四十一歳、ミックとは最長のブラザー関係となった。

そして、いまもFM　COCOLOの番組「ラジオ・シャングリラ」で継続している「クラブ・シャングリラ」のダイアローグは、はや三十年に及んだ。そのダイアローグを通し、僕は最も深くミックのアート・オブ・ライフの核心に触れてきた。

森永博志さんがメモ用紙にさっとデッサンした立川さん。見事なまでに特長をとらえたポートレイトからは、50年を超える交流の深さがうかがえる。

いま、何を聴き、何を観て、何を読み、どこの国が街が店が、一番官能や愉楽を感じさせるか、そのことに関する知性と感性による飽くなき追求は、他の追従を寄せぬほどディープ、そして仕事に結実してゆく。

その仕事は、魔術師のように、ミック本人が言うところの「料理」の技もセンスも鮮やかに人々に提供されてゆく。

いまは、「ラジオ・シャングリラ」で毎週日曜日午後四時から一時間、音楽とトークの番組を台本なしで繰り広げているが、ミックの選曲と曲の構成は、神がかりを思わせるほど卓越し、多くのリスナーに、音楽体験の時に驚異をもたらしている。

どれだけ、ミックがその人生において、ジャンルへのこだわりなしに、絶えず音楽に魂の次元で傾倒してきたか、それは、国際的レベルに達するスケールであり、音楽に対する崇高なリスペクトさえ感じさせる。

つまり、少年時にはじまる色褪せることのない音楽への愛をもって、ミックは、「I STAND ALONE」といま宣言できる至高の道を歩んでいるのである。

この本はクリエーターにとってのバイブルとなるだろう。

音の嵐

青いカナリア

記憶にある最初の曲は、ダイナ・ショアが一九五三年にリリースした「青いカナリア」。僕が三歳か四歳頃の曲。母親がああいう感じの曲が好きでよく聴いていたんです。

オリジナルはダイナ・ショアだけど、日本では雪村いずみさんが、一九五四年に「青いカナリア」としてカバーしました。言葉が英語から日本語に変わっただけでほかは原曲に凄く忠実だったので、子どもだったけど、そんなところが好きでしたね。

もう一曲は、おじいちゃんが好きでよく聴いていた、ライオネル・ハンプトン・オーケストラの「スターダスト」。ホーギー・カーマイケルが一九二〇年代後半に作って、ジャズのスタンダードになっていった曲。当時はSP盤でした。子ども心にも、めくるめくようなロマンチックさを覚えたことを記憶しています。

そういう意味では、エンターテインメント環境は良かったんです。家には祖父や父や母が聴いていたレコードがいっぱいあったし、祖母は映画とか歌舞伎とかをよく観る人で、小学生の僕に、学校を早退してもいいから一緒に行こうって言う人でした。

早くから映画や歌舞伎の世界に触れることができたのはしあわせでした。積み重ねてきた本物の芸を観る環境に恵まれていたから、僕は素人臭いものが嫌いなんです。それはいまでも一貫していますね。

エルヴィス・プレスリー

僕にとって、ザ・ローリング・ストーンズ、ボブ・ディラン、そしてザ・ビートルズを同時代で、リアルに聴けたことはしあわせです。

エルヴィス・プレスリーの「ハートブレイク・ホテル」も僕が六歳くらいのときの曲。ちゃんと聴いていました。箒を持って真似をして、電球を割ったことを覚えていますよ。

教えてくれたのは、住み込みで働いてくれていたお手伝いさんの娘さん。少し年上で、僕が小学校六年生のときに、彼女は高校生だったかな。

彼女が中学生のときにプレスリーとかロックものをよく聴いていたんです。その影響で、僕も小さいながら一緒に聴いていました。

彼女はお姉ちゃんのように僕をかわいがってくれてね。僕には兄も姉もいませんから、僕もなついていました。

セルジュ・ゲンスブール

一九八二年、当時のブルータスの編集長は岩瀬充徳さんで、彼は会社のデスクの引き出しにウイスキーのポケット瓶が入っているみたいな人だったんだけど、ある日の午後に編集部へ遊びに行くと、今度フランス特集をするから何か考えてほしいと言われたんです。それで「パリの男たち」って企画はどうですかって提案したのが始まりです。

セルジュ・ゲンスブールとかピエール・バルーとか、僕が憧れた人へ会いにパリへ行きたいだけのことなんだけど、そこに「パリの男たち」ってタイトルをつけると企画になる。

パリに行って、セルジュ・ゲンスブールを訪ねた初日ですよ。話しているうちに、おまえ、おもしれえやつだな、なんでそんなにいろんなことを知ってるんだ？　本当に日本人かって、めちゃくちゃ気に入られたんです。

ボリス・ヴィアンの話をすると、おまえ、ボリスを知ってんのかって、もうよろこんじゃって。コーディネーターがセルジュ・ゲンスブールの家の近くにホテルをとってくれていたんだけど、今日から俺の家に泊まれってことになって、ホテルをキャンセルして、その日から彼の家で寝泊まりさせてもらうことになったんです。

聴いたり、読んだり、観てきたものの質と量が圧倒的だったから、セルジュ・ゲンスブールとも話が合ったんだと思います。

当時の彼女だったバンブーも紹介されて、なんでこいつがバンブーって言うか知っているかって聞かれて、こいつは竹のパイプでアヘンをやるんだよ、だからバンブーなんだよって教えてくれたり。

一九九八年に出版した『セルジュ・ゲンスブールとの一週間』（リトルモア刊）にも書いたけど、それから毎晩のように食事に行ったり飲みに行ったり。セルジュ・ゲンスブールはアフリカンバーとか、変な店が好きなんですよね。そのあたりも僕と似ていました。

セルジュ・ゲンスブールがかっこいいと思ったのは、夜遊びはするけれど、昼間の仕事をないがしろにしないところ。遅れることも、穴をあけることも、質を落とすこともない。どんなに遅くまで遊んでいても、明日の朝にラジオがあるとしたらピタっと行く。

ある夜、セルジュ・ゲンスブールがめずらしく今日はこのへんで切り上げよう、と言った日があったんです。調子でも悪いのって聞くと、明日レコーディングで二曲録るんだけどまだできていなくて、これからその曲を書かなければならないって言うんですよ。

大丈夫かなと心配になったけど杞憂でした。翌朝、きっちり書きあげてレコーディングをするんだよね。

仕事は仕事、遊びは遊びとしっかり区分する。渡世人としての義務をきっちり果たす大人はかっこいいと思いましたね。

そういえば伊丹さんも遅れない人でしたね。連絡がとれなくなることはよくあったけれど（笑）。

レナード・コーエン

レナード・コーエンは、本当にかっこいい。声、ビジュアル、作り出している物や世界、すべてがかっこいい。知的だし、人の転がし方もうまいし、ビジネスもわかっています。きれいなものや女好きな点もいい。

残念ながら日本公演はバジェットの関係で実現しなかったんですが、来日はしたことがあって、そのとき筑紫哲也さんの番組「ニュース23」に出演しているんですよ。大のレナード・コーエンのファンである筑紫さんのたっての願いで出演が実現したんですよね。

レナード・コーエンはミュージシャンであるけれど、ひとりの立派な大人でもあるから、世界の状況や政治について筑紫さんときちんと話し合うことができるんです。

でもね、それだけで終わらないのがレナード・コーエンのかっこいいところ。番組の最後にこう言ったんです。

「だけど、美しい女と夕陽に勝るものはないと思っているんだ。」

もうひとつ、やっぱりレナード・コーエンはいいなと思う話は、声だけでナンパするんですよ。昔のホテルって、電話は交換士を通してつないでもらっていたじゃないですか。女性の交換士が、

「もしかしたらレナード・コーエンさん？」

って聞くから
「そうだけど、どうしてわかったの？」

「声でわかったの」

って交換士が答えた。するとすかさず
「あんたは美人だろ」

って言うわけですよ。女性の交換士が
「どうしてわかるの？」

って聞くので、あの低音でこう言ったんです。

「声でわかるんだよ。後で部屋に来ないか」

知性があって、エロい部分もちゃんとあるところがしびれるというか、何十年もエンターテインメントの世界で生きてきて、それなりの修羅場を

くぐってきたはずなのに、そんなことをおくびにもださない凄みみたいなものが、レナード・コーエンにはあるんです。

僕のいちばん好きなアーティストです。

ボブ・ディラン

中学生のとき「風に吹かれて」が出たんです。一九六三年です。ピーター・ポール&マリーがカバーして大ヒットして、同年代の友だちは圧倒的にピーター・ポール&マリー派でしたが、僕は断然、ボブ・ディラン派。当時、ディランがいいというのは変なヤツって感じだったんです。

だけど、きれいに歌うピーター・ポール&マリーとは真逆の、あのしゃがれた声が、僕にとっては歌の世界をどんどん広げる感じがしたんです。〝ドアを開けるとその向こうに自由がある〟っていう言葉も、あの声で歌われると、中学生の、まだ青いところがある僕にはビシバシ入ってきて、やっぱりボブ・ディランの方が凄いっていってしびれました。

その後もボブ・ディランがリリースするレコードのすべてがよかった。そして一九六五年の「ライク・ア・ローリング・ストーン」ですよ。世界中のラジオで流れ、ディランもスーパースターの仲間入りを果たすんですが、僕もこれで完全にやられました。

僕はボブ・ディランの存在に影響を受けました。何なんだよ、あいつはって感じ。名前すら作っていく。出生名はロバート・アレン・ジマーマン。いまは法律上の本名もボブ・ディランにしています。

曲の世界もどんどん変わっていくし、本気で宗教に走っているのかと思わせるけどそうじゃない。お金も凄くあるんだろうけど、その臭いもさせない。私生活もわからない。不思議なんですよ。

変化を恐れず、とどまらないところがいいんです。正体をつかませない。次はどうなるんだろうと期待をさせる。僕たちの予想なんてフラリとかわしてしまうんだけれど、期待は裏切らない。そんな感じがミステリアスでいい。だから曲だけでなく、存在に憧れるんです。

世界のアーティストから尊敬されて何十年になるんだけど、決して過去の人にならない。いまだに現役のアーティストであり、「ネバー・エンディング・ツアー」で世界を駆け巡っている。かっこいいですよね。だから追いかけてしまうんでしょう。

ザ・ローリング・ストーンズ

デビュー当時のザ・ローリング・ストーンズは、アイドルっぽくなかったんです。ブルースに影響を受けた黒いノリ、猥雑な感じ、そして制服を着ないところが衝撃的でした。

初期のマネージャーのアンドリュー・ルーグ・オールダムがアンファン・テリブル的な売り方をしたんです。当時のバンドは、みんな同じコスチュームを着ていました。ザ・ビートルズも初期はそうでした。その時代にストーンズだけバラバラだったんですよ。僕も学校の制服を着たくない人間だったのでその点でもビシッと合ったんです。

僕はブライアン・ジョーンズが好きだったんです。ミック・ジャガーでもなく、キース・リチャードでもなく、最初から僕のアイドルはブライアン。ストーンズのなかでも実験的なことをやっていたのは彼でした。モロッコのジャジューカへ行ったり、シタールやダルシマーやハープシコードを使ったり。民族音楽を聴くようになったのはブライアンのおかげと言っても過言ではないですね。

だから十八歳くらいの僕は、ブライアン・ジョーンズになるんだって気持ちで生きていました。何ごともカタチが大切だから、彼がよく着ていた毛皮のアフガンコートやバッグも買って使っていました。当時、六本木にチョロバザールって店があって、ネパールやインドの物を売っていたんです。その店で買って着ていました。

亡くなったときはすごくショックでした。

一九六九年のハイドパークでのフリーコンサート。当初は新メンバーのミック・テイラーのお披露目コンサートの予定が、その二日前にブライアンが亡くなったので、急遽追悼コンサートとして行われることになった伝説のステージ。ミック・ジャガーがパーシー・ビッシュ・シェリーの『アドネイス』の詩の一部を読んで、鳩と蝶が舞い上がったとき、やっぱりストーンズは、僕のなかではただならぬバンドだと再認識しました。

デヴィッド・ボウイ

一九六〇年代の半ばを過ぎた頃、デヴィッド・ボウイが出てきたときは待望の人が現れたと思いました。

僕は汚いものが嫌いだから、役者もテレンス・スタンプとかアラン・ドロンが好きでした。アメリカの汚れた感じとかマッチョな役者、たとえばチャールズ・ブロンソンなんて、まったく興味がなかったんです。

デヴィッド・ボウイは、日本では最初から人気があったわけではなかった。僕は一九七一年にリリースされた「ハンキー・ドリー」あたりからライナーノーツを書いていたんですが、女装のことを書いたり、リンゼイ・ケンプに師事したことを書いても、当時の日本ではなんで男が女装?とか、リンゼイ・ケンプって誰ってところがありました。

僕的には歳も二つくらいしか離れていないし、アート志向でロックをやるってところが僕の感性に近いと思えて、そんな人が世界にいるという発見が驚きだったので、早く会えないかなと思っていたんです。

そして最初の来日のときにインタビューをしたら意気投合。それからはコンサートやインタビューはもちろん、プライベートでも食事に行ったり、遊びに行ったり。鋤田正義さんに撮ってもらった、デヴィッド・ボウイとイギー・ポップと僕の三人の写真もあります。日本へプロモーションに来たときに、鋤田さんがせっかくだから一緒に撮ろうよって。

一九七〇年代の始めの頃は、イギリスといえどもホモセクシャルは犯罪とまでは言わないけれど、いまほど認知はされていなかったんです。そのなかでデヴィッド・ボウイは、あえてバイセクシャルって一般紙なんかでも言うんです。あるとき、なんで糾弾されそうな発言をするのって聞いたら、ニヤニヤしながら
「そうでもしなければ僕のことなんて誰も記事にしてくれないから」

って言ったんです。

そのときに、ああ、この人もボブ・ディランと同じで自分で自分を作っていく人なんだとわかって嬉しくなった記憶がありますね。デヴィッド・ボウイも芸名ですから。

僕は自己プロデュースがうまい人が好きなんです。それでいい世界を作ってもらえたら、本当はどんな人かなんてことは二の次でいい。思えば、セルジュ・ゲンスブールも、レナード・コーエンもみんなそうですよ。

自己プロデュースはいいクリエイティブの必須条件です。日本の人たちがつまらないのはそれができないから。海外ではジャスティン・ビーバーもレディ・ガガもみんなできています。

まあ、自己プロデュースをするには、それまでの勉強が物を言うわけで。たくさんの歌を聴いたり、いろいろな映画やアートを観ていなければできないのも無理はありませんけどね。

デヴィッド・シルヴィアン

デヴィッド・シルヴィアンはデヴィッド・ボウイの後継者になれたといまでも思っています。だけどあるときから、自ら隠遁者になってしまった。「メロディーメーカー」紙が「One Japanese broke up Japan」って記事を書いたんです。ある日本人がＪＡＰＡＮを解散させた、という記事。デヴィッド・シルヴィアンをアート志向にしたのは僕のせいという内容でした。

確かに僕がタルコフスキーとかを教えたら、自分がいまやっているポップスターは何なんだと思って、それでアート世界へのめり込むようになったのは事実です。

ただ、僕はデヴィッド・シルヴィアンをその世界へ行かせようとしたわけでなく、少しでも彼の世界を広げたかっただけだったんです。その点は彼もわかってくれていて、だからロンドンのアート界で知り合った人を、逆に僕に紹介してくれたりしました。

　キリンプラザ大阪でラッセル・ミルズとかアントン・コービンなど、当時のロンドンのアートの最前線にいた人の展覧会を開催できたのも、デヴィッド・シルヴィアンがパイプ役になってくれていたことが大きかったんですね。

　そんなことは何も知らずに展覧会を観に来ていて、純粋にアートの世界に感動していたのが、若き日のSUGIZOなんですよ。JAPANに影響を受けたSUGIZOがそんな展覧会にしびれたのも当然といえば当然ですよね。橋渡しがデヴィッド・シルヴィアンなんだから。

　ただ僕としては、デヴィッド・シルヴィアンにはある程度はロックの世界にいてほしかった。いまの作品は呪文みたいで、正直、ここまでやらなくてもいいのにと思うところがあります。

　でもデヴィッド・シルヴィアンは、新譜をリリースすると、いまだに必ず送ってくれるんですよ。

チェット・ベイカー

一九八〇年代は、まだ日本と海外の距離が結構あったと思うんです。距離的にもそうだし、海外の人と何かするっていうことはとても遠い、大変なことってイメージがあったんだけど、僕は日本人にしてはめずらしく、そんな距離を感じない人でした。独特のバイブレーションがあったから、セルジュ・ゲンスブールにしろ、ピエール・バルーにしろ、それこそデヴィッド・ボウイにしろ、クイーンのフレディ・マーキュリーにしろ、すぐに仲よくなれたんです。

日本の狭い業界とか慣習とかより、海外へ飛び出す方が性に合っているところもありますね。

チェット・ベイカーの場合もまさにそんな感じ。ブルータスの編集長の岩瀬さんから、ジャズの特集をやりたいからおもしろい企画はないかなって相談されたんです。僕は、よくある「ジャズA to Z」じゃないものをしようと思うわけ。それでチェット・ベイカーが浮かんだんですよ。

一九八五年か八六年の頃って、彼は第一線から消えていて、消息も不明。インターネットがある時代じゃないから、生きているのか死んでいるのかすらもわからなかったんです。

「岩瀬さん、チェット・ベイカー、探しましょうよ。そこから追うってジャズっぽいし雑誌っぽくないですか」

って提案したんです。岩瀬さんもそうだなぁって乗ってくれました。

それで探すんだけど、アムステルダムにいるとかニューヨークにいるとか、いろいろな噂があって、僕の豊富なネットワークを駆使してもさすがに見つからない。半年くらいかかりましたね。サンフランシスコ郊外の町の、友だちの家にいたんですよ。

当時、アメリカで取材をするとき、よくコンビを組んでいたウィリアム・ヘイムスっていうカメラマンに連絡すると、

「生きてたの！　僕も行く」

って来てくれることになって。ウィリアムは日本にいたこともあったから、難しい話になると通訳もやってくれるので何かと助かるんです。

それでサンフランシスコへ行って、チェット・ベイカーが出るという「キンボール」っていうライブハウスで会おうっていうことになったんです。行ってみると来ないんです。ライブハウスのオーナーに詰めよると、来ないものは仕方ないよなって向こうもさっぱりしたもので。ああ、さすがに一筋縄にはいかないなと思いましたね。

郊外の友人宅のアドレスももらっていたから、翌日、ウィリアムとこのアドレスの家へ向かったんです。

行ってみたら、アメリカによくありがちな、庶民的というか粗末な家で、しかも、これはもう絶対走らないよなって思うメルセデス・ベンツが木の中に半分突っ込んで止まっていたりして、荒んだ感じなんですよ。

そこでチェット・ベイカーと会いました。

「昨日は悪かった。ちょっと気分が乗らなかったから行かなかったんだ」って。もう僕のイメージ通りの人（笑）。

それで話していくと仲よくなっちゃって、何でも撮っていいってことになったんです。その日からライブとかずっと一緒に行くことになりました。

ある日、友人のピアノ・トリオのラジオ公開録音ライブにゲストで出るから行こうって、とうてい動かないと思っていたベンツに乗せられたんです。案の定スピードメーターの針は動いていない（笑）。でも飛ばすんですよ。フリーウェイに入ると百二十キロくらいは出していたと思います。しかも、話に夢中になると前なんか見ない。危なっかしくて仕方がない。

印象的だったのがライブの演奏。一曲目は「ナウ・ザ・タイム」でした。テーマを吹き終わって、さぁチェット・ベイカーのアドリブだっていうところになっても、彼は足でトントントンとリズムを踏むだけで吹かない。ピアニストが焦って自分で一通り弾いて、ベースがソロをとって、それでまた「さぁ！」って促すんだけど、彼はニヤッとしてまた吹かない。だけどテーマに戻ったらちゃんと吹くんですよ。二曲目も三曲目もすべてそんな調子。帰りの車の中で、

「どうしてアドリブをやらなかったの？」

って聞いたら
「俺は二百ドルのギャラじゃ、テーマしか吹かないんだよ」

って言うんですよ。いいでしょ（笑）。

一緒にレコードを作ろうってことになったときのこと。

「俺はいろいろ騙されてきたからプロデュース費やアーティスト印税はいらない。とっぱらいで、現金で五千ドルくれ」

って言ったんです。

「わかったけど、僕は、半分くらいは歌ってほしいんだよね」

って言うと
「じゃあ、一万ドルだ」

って。ちゃっかりしているというか、はっきりしているよね。

そして仲良くなったら、

「日本へ行きたい」

って言い出したわけ。それは嬉しいけど、地元の新聞には「彼はこれまでに八回、逮捕されている」って書いてあって、入国できるかどうかわからない。たまたま外務省の偉い人を知っていたから調べてもらったんですよ。結果としては、逮捕はされてるけど起訴はされていないから大丈夫だってことになったんです。それでチェット・ベイカーに連絡して
「とにかくドラッグだけは持ってこないで」

って言ったら、なんて答えたと思います?

「ＴＲＵＳＴ　ＭＥ！」

笑いましたけどね。やはりどこかかわいいところがあるんです。それって生き残っていく人の共通の特長ですね。

成田国際空港まで迎えに行って、イミグレーションみたいなところまで入れてもらって待ってたら、担当の人が
「ちょっと時間がかかります。ミスター・ベイカーが大量の錠剤を持ってきたのでそれを調べなければなりません」

って言われて。さすがに、あぁ、これでダメになったと思いましたね（笑）。でもその錠剤は、禁断症状が起きたときにそれを抑える薬で、アムステルダムの医者から処方されたものでした。

「チェット、約束を守ったんだなぁ」

と思ったのを覚えていますよ。

ロック・アーティストのイギー・ポップが来日したときのプライベートなツーショット。ステージ上とはまったく違う、気心の知れた友人といるときならではの、おちゃめな素顔を見せるイギー・ポップの写真はめずらしい。

光のなかで

謎の男

僕が映像音楽の仕事をするきっかけは、テレビマンユニオンの今野勉さんです。テレビ創設期の伝説のディレクターで、数々のすぐれたドラマやドキュメンタリーの制作に携わった方。長野オリンピックの開会式と閉会式のプロデューサーとして記憶されている方も多いかもしれません。

今野さんとは相性がよく、三時間ドラマの音楽など、いろいろやりました。その後ですね、曽根中生さんとかと日活ロマンポルノの数々の映画音楽を担当するようになったのは。

一九七〇年代初頭の日活の撮影所って、音楽的には古いシステムで、トラックも二チャンネルしかなかった。ドラムの音がまとまらないんですよ。それで僕が、録音技師の橋本さんという方に、傘ありませんかって言ったら、そんなものどうするんだって橋本さんが聞くわけ。ドラムの上にたてて音もれを防ぐんですよって言えば、すげぇこと知ってるなぁって驚くのね。そして若い技師さんに、おまえらこんなこと知ってたかって（笑）。

また、あるときにその橋本さんが、なあ、息子から聞いたんだけどさぁ、立川さんってレコードにいろいろ書いているあの立川さん？って聞くから、そうですよって言うと、なんでそんな人が日活で映画音楽なんかを作っているのかって、また、驚かれて。

逆にレコード会社の人は、僕が映画音楽をやっていることに驚いていて。批評を書く側と思っていた人が、どうして批評の対象となる音楽を作るんだって。立川直樹って何者なんだって（笑）。

まだまだ世の中、この道一筋って人ばかりだったから、彼らにしたら僕は謎の男だったんですよ。

伊丹十三

伊丹十三さんと組んで映画音楽を担当するようになったのは、一九八七年公開の「マルサの女」からです。

伊丹プロダクションの細越省吾さんから呼び出されたんですよ。細越さんはもともと日活にいた人で、曽根中生さんとの仕事でも一緒だったから、お互いを知り合った、仲のいい関係だったんです。

その細越さんから電話があって、伊丹さんが会いたいって言ってるから来てくれないかと言われて、それで伊丹さんと久しぶりに会ったんです。伊丹さんとは、前にテレビマンユニオンの制作で「古代への旅」という番組をワンクール一緒にやっていたんですね。それで行ってみると、伊丹さんは人をその気にさせるようなことを言うんですよ。

「『お葬式』『タンポポ』を終えて、やっぱり映画は音楽が大事だと痛感したんだよ。だから立川くん、やってくれないか」

僕も生意気だから、好きにやらせてくれるんだったらやりますよって答えると、伊丹さんも伊丹さんで、ニヤリと笑って始めからそのつもりだから頼んでいるんじゃないかって（笑）。それで「マルサの女」の音楽を担当することになったんです。

伊丹さんは音楽をわかっている人。そこが監督としての強みでした。「マルサの女」のチャーラララーララ、ラララーララってあの有名になったメロディーがあるでしょ。編集のときに立ち会っていて、あと二秒あればそのメロディーがきれいにフェードアウトするけれど、二秒前で切られると気持ちの悪い終わり方になる。

僕がそう言うと、感じることがあったんでしょうね、伊丹さんは編集の鈴木さんに、あと二秒なんとか伸ばしてくれって指示しましたからね。

画面のことしか気にしないで、平気で切る監督もいるけれど、音楽に関する僕の意見をちゃんと反映してくれたのは、伊丹さんと曽根中生さん、それに台湾の侯孝賢《ホウ・シャオシェン》でした。

侯孝賢

一九八九年に公開された（日本は一九九〇年）「悲情城市」はね、邱復生《チュウ・フウシュン》さんという台湾のメディア王みたいな人がいて、その人が侯孝賢の次の映画の制作にかかわることになったのがはじまりです。

たまたま邱さんが、作曲家の三枝成彰さんと友だちだったんですよ。日本へ来たときに「マルサの女」を観たのかな、それで三枝さんを通して会いたいと連絡が入ったんです。

邱さん曰く、侯孝賢はいい映画を撮っているんだけれど、音楽が弱いからインターナショナル・マーケットへ出ることができない。だからあなたに音楽監督をお願いしたいと言われて、引き受けることになりました。

音楽は誰にやってもらおうかなと思っていたときに、たまたまNHKのドキュメンタリーでSENSを観ていいなと思っていたんですね。

そんなとき映画プロデューサーの高秀蘭《コウ・シュウラン》さんが撮影したラッシュの

フィルムを持ってスタッフと一緒に日本へ来たんです。

そのときアクシデントがあったんです。フィルムのセリフを聞くことができなかった。仕方ないから高さんが僕の横でずっと説明してくれることになったのね。逆にそれがよかった。僕は「悲情城市」という映画の世界をよく理解することができたんです。

するとこの世界の音楽は、よく組んでいた本多俊之じゃないと思ったわけ。もっと大きなメロディーが必要だと思ったからSENSに決めたんです。僕は気心が知れているという理由だけで選んだりはしないんです。

結果、とてもうまくいって、台湾でも日本でもヒットして、ヴェネツィア国際映画祭で金獅子賞を獲りました。

映画監督の原田眞人さんが、何かの雑誌に「悲情城市」という映画は世界で大ヒットしているけれど、あの映画は正直に言うとわけのわからない映画なんだと書いた。みんな音楽に騙されているんだと。わけのわかんない映画にあの不思議なメロディーが流れると、わかったような気になるんだ。あの音楽は巧妙すぎるって（笑）。

もう、最高の褒め言葉だよね。

何年か前に東京国際映画祭のパーティーで行定勲監督に会ったとき、「悲情城市」の音楽を褒めていただいてとても嬉しかったし、ベトナムで仕事をしたときもあの音楽が好きと言う人がいた。いいものって知らないところで広がっていくんだと思いました。

音楽監督

僕は作曲はしないけれど、骨格やモチーフはぜんぶ決めるし、細かいことまできちんと指示します。

あと、編集権は必ず持つんです。

「マルサの女」でもほとんどは本多俊之が作っているんですが、録音したメロディーをどうミックスするかとか、この部分を切ったり、あそこへ持って行ったりという編集は、ぜんぶ僕がやるんです。

編集こそ映画監督の仕事じゃないですか。編集を人任せにする監督なんて信じられません。

だから僕は、映画では音楽プロデューサーではなくて音楽監督なんです。

張芸謀

張芸謀《チャン・イーモウ》の「紅夢」も、きっかけは邱復生さんです。

邱さんが製作を担当して、侯孝賢が製作総指揮を担って、張芸謀の新作を作ることが決まったんです。それで邱さんが「悲情城市」のときと同じことを言うんですよ。張芸謀はとてもいい映画を撮っているけれど、音楽がダメなんだよって。その頃には邱さんとも仲良くなっていたし、張芸謀も名前は知っていたから、やりますよと承諾したんです。

そして張芸謀の「菊豆」を観たら、これがすばらしくいい映画でね。すぐ邱さんに電話して、やるって言ったけど、いまはもっと積極的にやる気になっているって（笑）。

それから張芸謀と会って、彼も「悲情城市」を観ていて、僕に音楽をお願いしたいということで具体的に動き出しました。

曲に関しては、張芸謀からひとつお願いをされました。彼がずっと一緒にやってきた作曲家の趙季平《チョウ・キヘイ》さんも使ってほしいと言うんです。僕は、エンディングの曲は本多俊之の世界でいきたかった。だからどちらかではなく、どちらのクリエイティブも取り入れることにしたんです。「紅夢」は日中の音楽家を使ってできた作品になるんです。中国人の作曲家と中国人の演奏家が中国で録音したものを日本へ持ってこさせて、そこに本多俊之に書いてもらったシンセサイザーのストリングスなんかを入れたりして、僕が編集して作りあげたものです。

この映画の冒頭、鞏俐《コン・リー》が登場するところには音楽が入っていません。僕は絶対に入れたかった。だけど張芸謀はいらないと言う。かなり真剣な話し合いになりました。

僕は映画の冒頭だし、作品の世界を作るにも、ある意味、観客を摑むためにも絶対に必要だとかなり強行に主張したんです。

張芸謀もかたくなでね。最終的には彼が、これは血の問題だと言い出したんです。中国人と日本人の考え方の違いだと。映画は監督のものだから、張芸謀にそこまで言われたら、わかった、と引き下がるしかない。

僕は、本当は入れたかった。いまでも入れるべきだったと思っています。

「紅夢」はヴェネツィア国際映画祭で銀獅子賞でした。冒頭の鞏俐のシーンで音楽が入っていれば、金獅子賞を獲っていたといまでも思っています。

ヴィスコンティ家

「東風」というチャイニーズレストランバーがあって、そこで友人たちとルキノ・ヴィスコンティってかっこいいよねって話をしていたら、ふと、ヴィスコンティのサントラ大全集を作りたいって思ったわけですよ。

一九七九年頃、ヴィスコンティが死んで三年くらい経ったときのこと。できたらいいけど実現するわけがないってみんなは言ったんです。あたりまえですよね。コネもあても何もないんだから。でも、無理って言われると燃えるんですよ、僕は（笑）。

連絡先もまったくわからない状態だったけれど、成功の秘訣は中枢にいる人といかに近づくかにあるって知っていたから、誰かいないかと探した。ヴィスコンティの映画は東宝東和が輸入していたからその会社の人に聞いてみると、大條さんという人がフランコ・マンニーノと親交があると教えてくれたんです。フランコ・マンニーノは、ヴィスコンティの後期の映画の音楽を担当していた人です。

大條さんに話をすると、おもしろいですねって賛同してくれたんです。そのとき大條さんが、実はマンニーノの夫人のウベルタさんはヴィスコンティの妹なんですって教えてくれた。もうびっくりですよ。マンニーノにたどりつけば、一気にヴィスコンティ家の人にも会える。

僕は必死で大條さんにお願いしました。大條さんもわかりました、一度手紙を送ってみますよってつないでくれたんです。

するとマンニーノから返事が来て、とても興味深い話だから、ローマに何月何日か何月何日に来てくれたら話を聞くって内容でした。いきなり曜日を指定して、それも選択肢は二つしかない。このあたりが貴族的だなって変に感動しましたね。

僕としては行くしかないわけじゃないですか。大條さんに、どっちかの日に必ず行きますって返事を出してくださいとお願いしたのはいいけれど、そのとき僕にはお金のあても、レコード会社のあてもないわけです。

それからCBSソニーへ話を持っていったんです。

最初は、そんなレコードは一般的には売れないと言われた。それからいろいろ話し合っていくうちに、ＣＢＳファミリークラブっていう富裕層向けの会があって、そこで限定千セットで販売するという企画を立てたら、それが通ったんです。

なんとか旅費くらいは工面できました。あとのお金はぜんぶ自分でなんとかまかないました。

そしてローマの空港に着いたら、秘書とマンニーノ本人が来ていたんです。ホテルも彼らが押さえてくれていました。それがカバリエルヒルトンのセミスイート。それって僕の払いなわけですよ。こんな広い部屋はいらないんだけどなって思いながらも、これも〝ディス・イズ・マイ・ライフ〟なのかなと思い直して過ごしました（笑）。

次の日にマンニーノのアパルトマンへ行くと奥さんがいて、顔がもうヴィスコンティそっくり（笑）。

あとね、凄いなって思ったのは、そのとき通訳で留学生を雇っていたんですが、初日の帰りにマンニーノがこそっとやってきて、

「ＤＯ ＹＯＵ ＳＰＥＡＫ ＥＮＧＬＩＳＨ？」

って訊くんです。

「A LITTLE」

って答えると、娘のニコレッタは英語を話せるから、あのヤングボーイ、通訳のことね、はもう連れてこなくていいからって言うんです。そしてこう付け加えたんです。

「HE IS DIFFERENT CLASS」

凄いよね。ちゃんとクラス意識を持っている人たちで、ああ、貴族の言葉だなって思って、僕は嫌な気はしませんでした。

幸い、ナオキはいいって気に入られました。

「YOU ARE ELEGANT」

イタリア人に好かれる日本人はめずらしいって、東宝東和の現地の駐在の人にびっくりされましたよ。

それでマンニーノに、次は二日後に来てくれと言われたんです。再訪すると八人くらい親族が集まっているんですよ。マンニーノ夫人のウベルタさんが僕をみんなに紹介して、最後にこう言ったんです。

「ナオキとこのプロジェクトを進めたいから協力してくれ」

凄いアパルトマンで、ファミリーを集めて、ファミリーで事を進めようとする。その場がもう、映画のワンシーンのようでした。

試写会

試写会は時間がある限り行きます。

映画はいまでもまわりの人があきれるくらい観ています。それは昔からで、若い頃は土曜日のオールナイトの三本立てとかへガンガン行っていました。いくら東京とはいえ、当時ヌーベルヴァーグの作品なんか、それでなければ観る機会がなかったんです。

試写会の予定が合わない場合は、ビデオやＤＶＤを送ってくれるんです。ぜひ、観てくださいって。

僕は映画でもＣＤでも本でも、送っていただいたものは全部観るし、聴くし、読むんです。封を開けないなんて、そんな失礼なことは絶対にしません。展覧会でもチケットを送ってくれたら、なんとか時間をやりくりして出かけますから。

僕は好きとか嫌いとか、よさそうとかそうでなさそうとかで判断するのは素人だと思っています。

映画もそう。コンサートでもそう。本でもそう。とりあえず行くんです、読むんです。つまらなければ帰ればいいし、読むのをやめればいいんです。一回観たり、読んだり、行ったりして、それでダメだと思ったら次回からはやめればいいんです。

それを誰かが言っていたからとか、評判がどうのこうので選択することはないですね。何ごとも自分で決めます。店もそう。星がいくつなんてまったく気にもしません。

量と質

質で満足するか、量で満足するかで違ってきます。
また、質で満足させるか、量で満足させるかで作り方も違ってきます。最近のブライアン・フェリーのコンサートは一時間半で終わる。だけど見応えがある。彼の場合は量ではないんですよ。

伊丹十三さんは、映画は約二時間って決めていました。それを超えると、あるシーンをバッサリ切ることもある。

「マルサの女」のとき、ある女優さんが布団の下に金を隠しているシーンを撮っていたんだけど、二時間に抑えるために伊丹さんはそのシーンをまるまるカットした。試写を観た女優が、私はどこにも出ていないってベソをかいていたんだけど、伊丹さんにとってはそんなことより、二時間に抑えることの方が重要なんです。

ウディ・アレンは一時間半。そう言えばウディ・アレンと伊丹さんは、どちらも変態チックなところというか、変なこだわりがあるという点では共通したところがありますね。

それと真逆なのがルキノ・ヴィスコンティ。質も量も圧倒的です。「山猫」にしろ「地獄に堕ちた勇者ども」にしろ、あんな映画を撮れる人はもう出てこないと思います。ヴィスコンティ家の召使いの家は、中産階級の人の家より広いんですよ。だからあんな映画が作れるわけです。

ただね、ヴィスコンティの映画を作った会社はほとんど倒産しています。十何本作って、その内十社近くが倒産。金はかかるし、上映時間は長い。

昔の日本映画は、東映も日活も松竹も東宝も二本立てだったでしょ。それでだいたい一本一時間半。それは一日の上映の回数、つまり興行収入を考えて、一本の映画の時間を逆算した結果なんです。

ヴィスコンティはそんなことにはまったくおかまいなしだから、どんどん長くなる。「山猫」なんて、アメリカで初めて上映されたときは、あまりに長いからズタズタに切られました。そうなると映画の質にも影響するし、興行収入にも陰りが出てきます。

だけどヴィスコンティは、作っているときにはそんなことを微塵も考えないからね。そんなところも含めて貴族的だし、圧倒的ですね。

ART WORKS

遺香

ルキノ・ヴィスコンティのサントラ大全集を作るために日本とイタリアと行き来していたときのことです。

マンニーノの館で過ごしていると、雰囲気がいいんで、またひらめいたんです。ヴィスコンティが死んでからそんなに経っていないので、別荘とか残っているんじゃないかと。

聞いてみるとあるって言うから、それを撮影して後世に残したらいいんじゃないですかって提案したんです。すると、おまえはなんて素晴らしいことを思いつくヤツだって驚かれて。やるとしたら誰が撮るんだって、みんな凄く積極的になってきたわけです。

それで僕は篠山紀信って言ったんです。どういう人なんだって訊くから、エクセレントなカメラマンと答えて、その次にマンニーノの館へ行ったとき、篠山さんの写真集を持っていきました。するとみんなも気に入ってくれて、ぜひ、ということになった。

またまたレコードのときと同じですよ。アイデアはいいけれど、篠山さんにも出版社にも、具体的なアポはまったくない。

まずは篠山さんです。

直接相談すると、篠山さんもおもしろいねって乗り気になってくれました。ちょうどその頃、小学館の写真雑誌「写楽」が大人気だったから、発表はそこでしようということになったんです。

ただね、ルキノ・ヴィスコンティの館といっても、人がいないわけですよ。ヴィスコンティは死んでいるし。だから香りとか影とか、人物以外のものを撮る写真になる。

「写楽」の編集長の中島さんは、企画としてはおもしろいけれど、人がいない写真を「写楽」に載せるのはどうかなって頭を抱えたんです。そして、ちょっと上に相談してから返事しますってことになった。

その後いろいろあって、一時は頓挫しかけたんですが、このへんが僕の運のいいところで、小学館の役員にヴィスコンティ大好きっていう方がいて、その人がぜひともやれって後押しをしてくれたんです。

それで沢田和美ってグラビアアイドルをローマへ連れて行って、僕が写楽の沢田和美のグラビアのプロデュースもすることでGOが出たんです。だけどプロデューサーとしては仕事が二倍になるわけじゃないですか。メインはヴィスコンティの館を撮ることなんですが、同時に沢田和美のグラビアも撮らなければならない。時間も限られているし、篠山さんの興味は圧倒的に館に向いていた。どうすればいいかと考えて、閃いたんです。

篠山さんが館の写真を撮る。建物がいいから、ライティングも決めてバシバシ撮るのね。終わったら、スタンバイさせていた沢田和美をそこへ連れてきて撮らせたんです。

ライティングはできている。カメラもセッティングできている。露出もオーケー。そこへ裸のモデルを置くっていう発想。一度のセッティングでヴィスコンティの館の写真集の画像と、写楽のグラビアヌードの両方を撮影できたんです。

篠山さんもグラビア撮影になると、いいね、かわいいねって言いながら、さっと撮って終わらせるのね。沢田和美もそれまで篠山さんが館をどれだけ撮っていたか知らないから、さっと終わって大喜び。もちろんスタッフも早く終わるから大喜び。

屋外の撮影は無理だったけれど、館のなかではそんなことができたので、手間も時間も省けて、撮り高も順調に稼げる。一石二鳥どころか、何鳥にもなって、篠山さんも沢田和美も「写楽」の関係者もみんな満足でした。

まさに運も閃きも芸のうち、ですよ。

篠山紀信

篠山紀信さんとは顔見知りではあったけれど、仕事は一九八二年に発刊された『ヴィスコンティ家の遺香—華麗なる全生涯を完全追跡』（小学館刊）が初めてでした。

篠山さんがローマに来ると、モデルそっちのけでヴィスコンティの別荘を撮るわけですよ。だって凄い空間なんだから。アーティストなら血が騒いで当然だと思います。

ヴィスコンティ家も、ナオキのためってことで総力をあげて協力体制を整えてくれました。

イスキア島の別荘へ行ったときは、当時働いていた執事とか女中さんたちもヴィスコンティ家のためだからとたくさんの方々が集まってくれました。当時の制服を着て、みごとに同じテーブルセッティングをしてくれたのには感激しましたね。

するとと篠山さんもまたまた血が騒いで、夢中になって撮るわけ。あの巨匠が時間を忘れてって表現がぴったりなくらいバシバシ撮るんです。ただ、ほかの撮影の予定もあるわけじゃないですか。それで僕が
「篠山さん、だいぶん撮りましたよね。それにこのカットは見開きくらいしか使いませんから、そろそろいいんじゃないですか」

って言ったら、

「アア〜ン」

って篠山さんが振り向いてギロッと睨むんですよ。

篠山さんは同行していた「写楽」の編集長の中島さんに愚痴っていたらしいです。俺をとめるヤツが現れたよ、何てヤツなんだって（笑）。

僕もその夜、篠山さんに言われました。

「立川、おまえ、おもしろいやつだね。俺にやめろって言ったのはおまえが初めてだ」

って。それで気に入られて、撮影はめちゃめちゃうまくいきました。

トリミング

その後、篠山紀信さんとはいろいろな仕事をご一緒しました。

キリンプラザ大阪で「写真小僧展」をしたとき、篠山さんの写真を勝手に切ったことがあったんです。

六人の女の人が笑っているシノラマなんですが、届いた写真が空間のサイズを間違えてプリントされていたんです。写真が会場にはまらないんですよ。女をひとりトリミングするとぴったり収まる（笑）。さあどうしよう。篠山さんも当日までは会場に来ないから、ええい、切っちゃえって、やってしまったんですね。

初日、レセプションの前に篠山さんが来て、会場を見わたして、よくできてるねってご機嫌だったんだけど、アシスタントが気づいたんでしょうね。篠山さんに告口したんですよ。

それまでニコニコしていた篠山さんが、またギロッと僕を睨んで、

「切ったのか」
って言うから、仕方ないじゃないですか。いいわけしてもかっこ悪いから、
ひとこと、
「はい、切りました」
って言うと、篠山さんは
「ふん！」
と言ったきり、その後、ひとことも口をきいてくれない。
レセプションがはじまって、その挨拶のときに篠山さんが
「だけど立川直樹ってひどい人間なんですよ。僕の写真を切ったんだから。
あんなひどいヤツ、世の中にいません。あんなヤツに僕はこきつかわれて
いるんです。かわいそうだと思いませんか、みなさん」
って言って、会場中を大爆笑にしたことがありましたね。

キリンプラザ大阪

一九八五年か八六年くらいだったかな、キリンプラザ大阪の企画が立ち上がったとき、博報堂の担当だった村口さんが、普通のやり方では新しいものはできっこないから誰かおもしろい人はいないかなと探していたときに、僕と付き合いのあった同僚の方が、立川直樹が最適かもしれないって紹介してくれたんです。

それで僕も参加して、大阪の二十一世紀協会の人たちと十人くらいの組織委員会が立ち上がるんです。だけど僕は言ったんですよ、そんなに多いと動きませんよ、多くて四人までですって。

村口さんもそうだよなってわかってくれました。そして、じゃあどうすればいいんですかって言うから、ジャンルが違うできる人を数名集めるべきだって提案したんです。

ですから僕は、キリンプラザ大阪に関してはプロジェクトメンバーの選定段階からかかわっているんです。建設中もヘルメットをかぶって一緒に作り込みをしていました。

設計は建築家の高松伸さん。上層階にあるキリンプラザホールへは、エレベータで昇ればそのままホールへ入れるけれど、最初の案は違ったものでした。ホールの入り口の前に壁があったんです。

それで僕は言いました。こんな壁があったらピアノが入らない。この設計プランはダメだって。

だけど高松伸建築設計事務所の人は、先生が考えたプランですから変更はちょっとって言うわけですよ。僕も若かったからこう言ったんです。

「じゃあ、おたくの先生に言ってくれ。ピアノが入らないあんな設計をしたら、あとからバカな建築家って一生言われるよって。いいんだな」

スタッフもちょっとカチンときたんでしょうね。

「立川さんが言ったって、そのまま伝えていいですか」

って言うから、

「ああ、そのまま伝えろ」

って啖呵をきったの。

そしたら高松伸さんから連絡があって、一度会うことになったんです。

その席で高松伸さんが
「壁は取った方がいいかね」

って言うから、

「取らないと恥かきますよ」

って言うと
「じゃ、取りましょう」

って。いいものを作るのに上も下もありません。誰が言ったかも関係ない。正しい意見には聞く耳を持つ。高松伸さんも最高でした。

昔の僕は生意気だったけれど、みんながうまくいくために忖度しないという生意気さっていいよねって、いまでも思うエピソードのひとつですね。

馴染む早さ

大阪の人から見たら、東京人なんて気取った嫌なヤツって思われる。だからこそ現場の人のなかに溶け込まなければ、口先だけだったり、立場だけを利用してあれこれ指示しても、うまく動いてはくれません。

これは大阪に限らず、どの地でも、どの仕事でも同じだと思っています。僕の場合はいろいろな所で鍛えられてきましたから、現場に馴染む術は天下一品なんです。

キリンプラザ大阪のときは、藤山寛美になるって決めたんです。ギャラの三分の一は遊びに使うことにしました。

仕込みの職人さんとかがいるでしょ。仕事が終わると、お疲れさまでした、ちょっと飲みに行きませんかって誘って、飲んだあと飛田新地へ繰り出して、一緒になって遊ぶ。

するとその翌日から、立川先生のためならなんでもやりますわって（笑）。

それでうまく事が運ぶんだから、
使ったお金は生き金だよね。

©名越啓介（UM）

中村勘三郎

二〇〇四年のことです。きっかけは全日空の機内誌「翼の王国」。編集部から歌舞伎を特集した何かを考えてくれって言われたのが始まりです。歌舞伎のＡ ｔｏ Ｚをやってもつまらないしなぁと思いながら、当時の歌舞伎座の支配人の大沼さんに相談すると、まだオフレコなんですけど、勘三郎さんが、当時はまだ勘九郎さんでしたが、初めてニューヨークで公演をする話が進んでいると教えてくれたんです。

僕は直感的にこれだと思って、独占取材をお願いしたんです。では一度、本人をご紹介しますよということになって、勘三郎さんに会った。

すると勘三郎さんがね、

「おもしろいけど、立川さん、初めての方にこんなことを言うのは失礼だけど、普通のカメラマンに撮らせても驚くものはできないでしょ」

って言うんです。僕はそのひとことで、勘三郎さんはわかっている人だなって思って嬉しくなりました。

どのカメラマンがいいかなって考えを巡らしているとき、僕は本当に運がいいと思ったんだけど、半年くらい前にミック・ロックの写真展があって、ミック・ロックとメシを食べたときにいつか仕事がしたいねって話になったんです。ちなみにどんな仕事がしたいかってミック・ロックに訊くと、歌舞伎か相撲を撮りたいって言っていたんです。

そのことを思い出して、ミック・ロックと勘三郎さんがつながった。

勘三郎さんに、ミック・ロックっていう、クイーンとかデヴィッド・ボウイとか、数々のロック・アーティストを撮っているカメラマンがいるんですけど彼でやりませんかって提案しました。

勘三郎さんも閃く人だから、ロックを撮ってる人、それいいかもしれないということになって、

「できるの？」

って聞くから
「できます」

って答えたんです。

ミック・ロックに連絡すると喜んでくれたんだけど、「翼の王国」のバジェットではギャラが合わないわけですよ。でも、それで流すのもしゃくじゃない。知恵の出しどころと思って、写真の二次使用権を与えるからやらないかってミック・ロックに提案したんです。

大沼さんにも二次使用権の件はオーケーをもらいました。その当時は歌舞伎といえども、国内ならいざ知らず、海外での二次使用権はあまり重要視されていなかったんです。それで実現したんです。

魂——ミック・ロック×勘三郎

二〇〇四年、ニューヨークでの平成中村座の公演のときです。勘三郎さんの舞台稽古にミック・ロックも呼んだんです。稽古中、もうバシバシ撮るわけ。立ち上がってさ、撮影の注意もおかまいなし。後ろのカメラマンが怒鳴ってもまったく聞かない。

会見が終わって楽屋へ行ったら、勘三郎さんが

「ひょっとしてあのバシバシ撮っていた獣みたいなヤツが、立川さんが呼んだカメラマン？」

って聞くから、そうですよって言ったら、

「あの人すごいよ、俺が撮ってほしいと思ったときの表情や姿をぜんぶ撮ってたもの」

って言うんです。

また、ミック・ロックもノリノリで、当日の夜にそのプリントを持って

きたんですよ。それを観た勘三郎さんはとても喜んでね。その日に、アーティスト同士のリスペクトも生まれました。

こんな関係が育まれるともう大丈夫。ニューヨーク公演中はミック・ロックもめちゃくちゃ興奮して、

「勘三郎はロックンロールだ」

って言いながら撮りまくっていた。それを勘三郎さんに伝えると、

「そうなんだよ、それがわかってくれるのが嬉しいねぇ。歌舞伎にはいろいろなスタイルがあるけれど、僕はどちらかというとロック系だから」

って最高の笑顔を見せてくれました。驚くほどの相乗効果で、その仕事は想像以上にうまくいきましたね。

ニューヨーク公演が無事に終わって、勘三郎さんとトライベッカのイタリアンレストランで食事をしていたとき、

「立川さん、相談があるんだよ。というよりこれはお願いだな。今度、東京で襲名披露公演が三ヵ月間あるんだけど、ミック・ロックを日本に呼んで、撮ってもらえないかな」

って、今度は勘三郎さんから指名があったんです。僕は例の言葉です。

「はい、やりましょう」

ミック・ロックのスケジュールが空いているかどうかは知らないし、ギャラが折り合うのかもわからないけれど、まずは「はい」って言っちゃう。「考えてから連絡しましょう」とか「ちょっと時間ください」なんて言うのはダサイじゃない。おもしろい話が舞い込んだときは「やりましょう」だよね。あとは実現へ向けて動くだけ。

最終的にはそれも実現して、二〇〇七年に『魂─ミック・ロック・ミーツ・勘三郎』（アシェット婦人画報社刊）という写真集にまとまりました。

そう思うと僕の仕事って、ゲーム盤を作っちゃって、サイコロを振るところが始まりなんですよね。

経済と文化

一九八三年にピエール・バルーのアルバム「ル・ポレン」を作ったあと、パリのシャンゼリゼ通りの近くに当時あったカルダン劇場で、ピエール・バルーのコンサートを行いました。

「パリでカルダンと偶然に会って、レコードの話をしたら、それは素晴らしいと言ってくれた。そしてカルダン財団でコンサートをしないかと言われたんだ。僕とカルダンとは同じピエールだからね」

ってピエールが本当とも冗談とも区別のつかないことを言うんです。

ところがあれよあれよという間に話がまとまって、当時で二千万円もの資金が出ることになったんです。

それで日本のピエール・カルダン・ジャポンの支配人のところへお金をもらいに行くと、なんでヒッピーみたいなヤツに財団は金を出したんだろうって怪訝な顔をされました。まあ、本社からの指令だから出すけどって言われて、すみませんねって頭を下げながらいただきましたよ（笑）。

お陰でカルダン劇場でのコンサートは、バーデン・パウエルは来るし、フランシス・レイとかデヴィッド・シルヴィアンも出てくれて、自分でも本当にいいものになったと思っています。

レナード・コーエンも聴きに来てくれて、終演後、ナオキ、いい仕事をしたねって言ってくれました。素直に嬉しかったですね。

その後、一九八四年に、ピエール・バルーとは二枚目のアルバムとなる「シエラ」を日本で作るんですが、レコーディングが終わってミックスダウンのとき、ピエールが突然、耳もとで言ったんです。

「これ以上は日本でできない」

理由を聞くと、エンジニアを指さしてこう言ったんです。

「HE DON'T UNDERSTAND FRENCH」

歌詞がわからない人にミックスダウンはできない。だから仕上げはパリでやるって言うんです。昨日のミックスダウンの音を聞いた時点で、その夜にパリのスタジオを押さえていたんですよ。

気持ちはわかるけれど、こちらにも事情があるわけじゃないですか。

「だけど僕も金を集めたり、いろいろリスクを負ってるんだよ」

って言うと、

「ナオキは経済と文化、どっちを選ぶんだ」

って言われたんです。そう言われると返す言葉がないですよね。

三十代前半の頃です。

若い時代にそんなことをいろいろなところで経験してきましたからね。

鍛えられてきました。

愛・地球博

きっかけは、ぴあの、現在は会長兼社長の矢内廣さんです。

矢内さんから連絡があって、

「愛・地球博の催事総合プロデューサーを頼まれたんだけど、どう思う」

って聞かれたんです。

僕はその当時から、ぴあは情報を集めて発信するだけでなく、情報そのものを創造しなければ将来はないって思っていたから、持論を伝えたうえで、いい機会じゃないですかって答えたんです。

矢内さんが、

「引き受けたら手伝ってくれるか」

って言うから、

「矢内さんのためなら喜んでお手伝いしますよ」

って答えて、それで僕は催事総合スーパーバイザーとして参加することになりました。

人間関係のややこしいことは矢内さんが担当して、クリエイティブなことは僕が担当したんです。

でもね、なにしろ規模がでかいから、それはいろいろありました。船頭が多いから、物事がなかなか進まない。それって僕のいちばん嫌いなパターンなんですよ。

あるとき、偉いさんが集まる食事会があったんです。僕も呼ばれて、そのときに何かひとことって言われて、映画「未来世紀ブラジル」の制作の過程を暴露した『バトル・オブ・ブラジル』という本の話をしたんです。

この本は、映画「未来世紀ブラジル」の配給を巡る、プロデューサーと映画監督（制作側）と映画会社（配給側）との騒動を記録したドキュメンタリー。僕はそれと同じことがここでは起こっているって言ったんです。みんな勝手な方向を向いて、勝手な意見を言うだけで、まったくまとまりがない。本当にいいものを作ろうという気があるのかも疑問に思う。とにかくこの現場は大変なんですって訴えたんです。

現場は混乱していて、僕も相当に頭にきていたから、怒られても、クビ

になってもいいやって思いでその話をして
「いま、後悔しているのは、いままでのプロセスをテープに録っておいて『バトル・オブ・ＥＸＰＯ』って本を作ったらよかったと思っています」

って付け加えたんです。

そしたらトップの事務総長の中村さんから、おもしろいヤツがいるって逆に気に入られて。僕は手練手管で言ったつもりはないんですけど、結果はオーライ。それ以後は、少しはスムーズに進むようになりました。

生意気といえば生意気なんだけど、僕はいいものを作りたいという一点だけで訴えたんです。それがわかってもらえたのはちょっと嬉しかったですね。ただ、船頭の多い仕事はもういいやって思ったのも確かです。

でかくて派手なものだけがいい仕事じゃないんです。小さくてもいい仕事はたくさんある。そして、改めてそんな仕事こそ大切にしなければならないと思い直したのは、ある意味、愛・地球博に参加したおかげですね。

ラジオ・シャングリラ

現在、FM COCOLOでやっている「ラジオ・シャングリラ」がとても評判がよくて、ある意味、おばけ番組になりつつあります。

この番組は東京では絶対に成立しないと思いますね。音楽と人が好きという大阪の土壌が、僕たちを自由にさせてくれているんです。

一緒にやっている森永博志とは誕生日が同じで、もう五十年以上の付き合いになります。雑誌の「エスクァイア・ジャパン」で掲載していた「クラブシャングリラ」が一九九五年に『シャングリラの予言』（講談社刊）というタイトルで単行本になって、その出版パーティーがあったとき、石坂敬一さんはそんな僕たちのことを〝サイケデリックなサイモン&ガーファンクル〟って褒めてくれました。

それと局の人がいい。あるとき営業の人が、これだけ好評なんだからスポンサーを取りましょうって言うと、当時、社長だった栗花落さんが、

「何を言ってるんだ、スポンサーがついたら話に規制がかかっておもしろくなくなる」

って言って断ってくれたんです。すごいよね。東京の局では考えられない判断だと思っています。

ラジオ局である以上、番組スポンサーは必要なんだけど、それだけにとらわれていないんです。FM COCOLOがめざす世界や価値感を明確に打ち出して、それを支持してくれる局全体のスポンサーというか、サポーターが集まって番組やイベントを作っていく。それが理想という考えなんです。そのためには局を象徴する番組が必要で、それが音楽をベースにして森羅万象を語る「ラジオ・シャングリラ」だと言ってくれるんですね。

大阪のリスナーの方はもちろん、局の人たちの音楽と文化への愛の大きさを感じています。

めざす世界を具現化してくれる人。

株式会社ＦＭ８０２　代表取締役会長　栗花落 光

私が立川直樹さんの名前を知ったのはレコードのライナーノーツです。ザ・ビートルズなどいろいろ書かれていますが、私にとってはアル・スチュワートの「オレンジ」のライナーノーツ。私の好きなアルバムのベスト・スリーに入る一枚ですが、そのライナーノーツが立川さんでした。

お会いしたのは立川さんがキリンプラザ大阪のプロジェクトをされていたとき。大阪のラジオ局に勤めていた私には、なんとも東京の匂いがする恰好いい人だと思いました。音楽だけでなく、映画やアートの世界も語れる人は、大阪ではちょっとお目にかかれないのでまばゆい人に映りました。

頻繁にお会いさせていただくようになったのは、弊社の「ラジオ・シャングリラ」の番組を担当していただくようになってからです。ＦＭ ＣＯＣＯＬＯは四十代以降のリスナーを対象に、音楽だけでなく、そこから派生する映画やアートや食や本なども含めたライフスタイルを伝える

「ホール・アース・ステーション」をめざして生まれました。新しい企画を考えていたときに弊社プロデューサーの岩尾知明が、かつて「エスクァイア・ジャパン」に「クラブ・シャングリラ」という連載があって、その内容が局のめざす方向とぴったりだからそのラジオ版をしたらどうかという提案があって実現した番組です。

結果は大成功。いまやFM　COCOLOがめざす世界や伝えたい価値をいちばん象徴していただいている番組になりました。立川さんと森永さんにはたくさんの引き出しがあり、話題は多岐にわたるのですが、常にその中心には音楽があって、話がどんなに展開してもきっちり音楽につながっています。内容が充実しているのに実は語りは少なく、たくさんの曲がかかっています。その選曲や構成、話の運び方は天才的としか言いようがありません。

音楽は最大のジャーナリズムと思っています。アーティストが音楽に託していろいろなメッセージを伝えようとしているのです。音楽が持つジャーナリスティックな面を汲み取れる知識を持ち、言葉できっちり伝えることができるセンスのある人。それが私にとっての立川直樹さんです。

聖と俗

sin・cos・tan（サイン・コサイン・タンジェント）

　僕は一般の市民生活的なことにまったく興味がありません。子どもを学校に送り迎えするとか、年末年始は家族で過ごすとか、株を買ったり、投資をしたりって一切しないんです。

　そういうものに時間を使わないで、好きな世界のことにつぎ込んできたんです。勉強もそうです。僕は桐朋学園に通っていたのですが、高校時代も三角関数なんてまったくやらなかった。現国とか英語とか政治経済の試験はちゃんと点を取るんですよ。だけど数学とか物理はまったくしなかった。する必要がないと思っていた。

　それで先生が、なんでおまえ、やらないんだって聞くから、

「僕の人生にsin・cos・tanは必要ないから」

って答えたんですよ。

「おまえ、何てこと言ってるんだ」

って怒られた。また、他の授業では
「僕に光は必要ですが、それは詩的な意味や映像的な光であって、その速度とか物理的なことはまったく必要ありません」

って言ったりしました。

勉強しないんだから、試験で点なんてとれるわけがありません。追試となります。追試になっても何も書けないわけですよ。わからないんだから。再追試のときに先生が寄ってきて、いちばん上には何なにって書けって言うんです。次はこうこうって書けって。それで無事に通ったんですけど、後から聞くと、こんなやつを落とすと下の学年に悪影響を及ぼすって判断だったらしい（笑）。

僕は昔からずっと、自分に興味のないこと、役に立たないことは一切やるつもりはありませんでした。その分、音楽、映画、本、舞台、アートなどの世界を深く知りたかった。

だから僕は広く、深くというタイプではないんですよ。もちろん狭く、浅くでもない。コレと決めた世界で、広く、深くなんです。

そうそう、学校のことで思い出したけど、二〇〇〇年頃に演出家の蜷川

幸雄さんから連絡が入ったんです。蜷川さんが桐朋学園芸術短期大学の学長に就任することになって、

「あなたにもそろそろ人を教える義務があるんじゃないですか」

って言うわけですよ。要は桐朋学園芸術短期大学のステージクリエイト専攻科という、舞台を裏から支える人材を育てる学科で教えて欲しいという依頼だったんです。

僕は教授って柄じゃないじゃないですか。学校でも異端児だったし（笑）。だけど蜷川さんのお誘いだから断るわけにはいきません。教授の審査に必要だという資料もダンボール五箱分ほど揃えて送りました。承認されて教授に就任して、かれこれ八年ほど教えたんです。

まあ、教師の言うことなんて聞かないで、数学とか物理とかまったくしなかった生徒が、まさか母校の大学で教えるなんて思ってもいなかったので、事の展開に少々驚いてはいたんですが、もっとびっくりしたのは、何かの会合で会った当時の桐朋高等学校の校長が、高校時代の僕の同級生だったんです。

「なんでおまえが……。教授に……？」

同級生は絶句していましたね（笑）。

怪人

僕のなかには、聖と俗のどちらもありますね。どちらかなんて区別もしないし、する気もありません。

ヴィスコンティの仕事でよくイタリアへ行っていたときに、同時にマルコム・マクラーレン、あのセックス・ピストルズやニューヨーク・ドールズの仕掛け人ですよ、彼とも仕事をしていたんです。

雑誌「宝島」のインタビューを受けて、ヴィスコンティとマルコム・マクラーレンをよく同時に仕事できますねって言われて、

「僕は分けてないから。ヴィスコンティとセックス・ピストルズも僕には同じなんだ」

と答えたら「怪人・立川直樹」って書かれました（笑）。

能の仕事をしたときも、付き合いで能楽堂へ観に行ったけどおもしろくないので、一緒に行った森永博志とストリップへ行こうかって、豊丸を見

に行きました（笑）。

どちらかとか、どっちが上とか下とか、僕にはないんです。どっちも好き。だからどっちにも行くんです。

あと、どちらかと決められるのも嫌ですね。平凡社から依頼が来たとして、集英社で書かないでくださいと言われたとしたらカチンときますね。まあ、そんな器量の狭い編集長とは最初から仕事はしませんけどね。ですから雑誌なら平凡社とか集英社とか決めずに、どっちにも書いてきました。広告代理店も電通と博報堂、両方の仕事をしてきました。

ちょっと変わったポジションにいたんですよ。怪人ですから（笑）。

居眠り

つまらない繰り返しが好きじゃないんです。

新幹線で東京・大阪間を移動するときでも、季節が変わると風景を見ているけれど、一週間に何度もというときには、変わりばえしないのでその時間は寝ようと思うんです。するとその前日は、明日、新幹線で二時間眠ることができるから、今夜の睡眠は三時間でいいな、そしたらその分、夜は何をしようかと考えるんです。

欲深いんですね。

つまらない繰り返しってことで言うと、映画にしろ、コンサートにしろ、飲んでいるときでも、停滞するときってあるじゃないですか。そんなときは、コトンと寝てしまうんです。爆睡じゃないんです。一瞬落ちる感じ。耳は起きているんです。だからまた盛り上がると目を覚まして、観たり聴いたり喋ったりする。

刺激がないときが続くと、それを我慢して付き合うより、コトンと寝て鋭気を養う方がいいと思うたちなんです。

先日も何人かの芸人の方とイベントをしていて、活弁師の片岡一郎さんが「東京行進曲」を語ってくれたんです。途中、僕は寝ちゃったんですよ。片岡さんは好きな活弁師で何度も聴いているし、その演目も何度目かで、その週は仕事が立て込んでいて疲れていたこともあったので、つい……ね。そんなことを知らない芸人さんは、立川さんは寝たって僕をいじった……（笑）。

だけど僕は、聴くべきところは聴いていますからね。

昔イタリアで、フランコ・マンニーノから、オペラはいいところだけ観ておけばいいって教えられたんです。ここ一番ってところだけ起きていて、後は寝ているのがプロだって、マンニーノは言っていましたよ。

ややこしい人

ややこしい人っているでしょ。

どの業界でも最前線で活躍している人は、こだわりとか流儀とか人の好き嫌いが激しくて、たいていややこしいんだけど、僕はそんな人が嫌じゃないんです。むしろ好き。

だってセルジュ・ゲンスブールとか、ピエール・バルーとか、ヴィスコンティ家とか、日本でも伊丹十三さんとか、田辺エージェンシー社長の田辺昭知さんとか、渡辺プロダクションの名誉会長の渡辺美佐さんとかと仕事をしてきたんです。苦手だったらできませんよ。

若い頃から、そういう一筋縄ではいかない人、ややこしいと言われる人とずっと付き合ってきたから、その集積量がハンパじゃないんです。

だから後になってミュージシャンのＳＵＧＩＺＯなんかと出会うと、まわりの人はアーティスティック過ぎて扱いづらいって言うけれど、僕にしたら本物のアーティストだと、とてもチャーミングに映るんです。こちらに拒絶の空気がないから向こうも心を開いてくれるし、だからどんどんいい関係になっていくんです。

おもしろいのは、ややこしい人って、それぞれの人がそれぞれの考え方を持っていること。ある人が僕に、

「ミック、最近、もめたときはどうしてんだ」

って聞いたわけ。僕もその当時は四十代で、少しは大人になっていたから、

「いいんじゃないですか、そいつと仕事しなければいいと思うようになりました」

って言うと、

「何言ってんだ、そんなのじゃダメだ、殺せ！」

って（笑）。

いいか、人は負け犬がいちばん危険なんだ。両者リングアウトがあるのは試合だけのことで、人生にはないんだ。そいつが勝つために攻めてきたら傷つくのはおまえだ。だから殺せって。

もちろん本当に命を取れってことではなくて、ケリをつけろっていうこ

となんですけど、そんな考えもあるんだなと思いました。

ヴィスコンティ家と仕事をしているときにもこんなことがありました。

映画の衣装を撮影したいと思ったので、デザイナーのピエロ・トージを紹介してもらって連絡してみると、私はデザイナーなので、作って、映画になったあとは興味がないって言うんです。だから作品は何も残していないけど、衣装の仕立て屋のティレリは持っているかもしれないからそっちをあたってくれって返事でした。

その仕立て屋に連絡すると、衣装一点につきこれだけの金をくれって言うわけ。それが結構いい値段なんですよ。

それで諦めたんですが、ルキノ・ヴィスコンティの妹にあたる、フランコ・マンニーノ夫人のウベルタさんに言うと、夫人が怒ってね。そばで聞いていた娘に、

「ヤツを撃ち殺してこい」

って言った（笑）。

貴族とマフィアは紙一重というか、同類なんだと思いましたよ。

正論

僕は年上であろうが年下であろうが、人に苦手意識はないし、区別という名の差別もしません。正論を言う限り、年上でも年下でも同じように接しますし、きちんと聞きます。

相手が言っていることが正しくて僕が間違っていた場合、素直にスミマセンって言います。そこに年上も年下もないし、年下から諭されたと言って怒るっていうのは人間が小さすぎますよ。

嫌いなのは、僕の前ではこう言っているのにほかの人のところでは別のことを言う人。最悪だよね。あとは僕といるときは、うちの会社なんていつでも辞めてやるって威勢のいいことを言いながら、いつまでもだらだらと会社にしがみついている人。最低ですよね。

そんな人と付き合っている暇はありません。とっとと離れていきます。

ええかっこしい

ユーミンとか夏木マリさんに、立川さんはスカしているよねって言われたんですけど、僕は基本的に、かっこ悪いことが嫌い。

謝ることもそうだけど、身だしなみもかっこ悪いのは好きじゃない。

ええかっこしいって言われても気分を害することはないです。ええかっこしいですから、嬉しいくらい（笑）。

ナンバー2

昔、読売ジャイアンツに与那嶺要《よなみねかなめ》っていう選手がいたんですよ。マウイ島生まれの選手で、その後、中日の監督もした人です。その中日の監督時代に優勝するんですけど、そのときのコメントがいかしているんです。

「ミーはね、チャンピオンになると思って、ディスイヤー、ファイトしなかった。ミーはね、ディスイヤー、ナンバー2になればいいと思ってファイトしていたのに、アナザーチームがルーズしていったのでマイ・チームはウィンできた」

って言ったんですよ。僕はこのナンバー2という発想が凄く好きなんです。

与那嶺さんに関してはもうひとつ凄いところがあって、野球で監督といえば最高位ですよね。その監督をした後、別球団でコーチに就任した人は誰もいなかったんだけど、与那嶺さんは中日の監督の後、西武のバッティングコーチを引き受けたんです。あの人は日本の野球界の慣習を最初に破った人でもあるんです。

　僕もプロジェクトの全体を取り仕切るポジションの仕事が多いけれど、ほかの仕事で、この部分だけお願いしますって言われて、やる意義があると思ったり、おもしろそうな仕事なら引き受けます。

　あるとき言われましたよ。どうして立川さんほどの人が誰々の下につくんですかって。だけど僕はそんなことどうでもいいじゃんって思うし、まったく平気なんです。いい仕事になればいい。それだけですよね。

　若いときからずっと主演だけで来た人っているでしょ。つらいと思いますね。ずっと主役でいなければならないから。脇にいる方が、絶対に楽しいのにね。なによりも自由です。それがいちばん魅力的ですね。

永井荷風

遊び人が減った。それがいちばんいけないね。

最近は酒場でもかっこ悪い人が増えましたね。どうしてかというと、仕事以外のことを教えてくれる遊び人が少なくなったからだと思うんです。

浅草に、たぶん芸者上がりのお母さんがひとりでやっていた「甘粕」っていう飲み屋さんがあって、カウンターに塩豆とかコンブとかのつまみものが並んでいるような店なんですが、あるとき、そこのお母さんと喋っていると、別の客が、すみません塩豆くださいって大きな声で言うわけ。するとお母さんが

「あんたは行儀が悪いわね、塩豆の皿ごと持って行きなさいよ」

ってやんわり叱るんです。

これって正論ですよね。

僕たちの話がひと区切りするまで待って注文すればいいのに、話を途切

れさすから行儀が悪いってことになる。それをやんわり叱って教える。酒場は学校って言われる所以です。

ただ、言われた本人たちはそれすらわかっていないのが残念ですが。僕は歳をとったからって丸くなったり、真面目ぶったり、どんくさくなるのは嫌です。いつまでも遊び人でいたい。

その点で永井荷風が好きなんです。遊び人を貫いたその存在を認めるんです。あの谷崎潤一郎でさえ憧れていましたから。

永井荷風はフランスへも行っているし、ちゃんとした小説も書くし、芸術家としての地力はあるんだけど、それをひけらかさずに、ストリップ劇場の楽屋で遊び続けて一生を終えました。そんなところがかっこいいと思うし、惹かれますね。

大人

品よく下ネタの話をできるのが、本当の大人なんですよ。

共演

ミュージシャン、役者、映画監督、編集者、カメラマン、アーティスト、さらには行政の人からいろいろな企業のトップの方まで、数えきれない人と仕事をしてきました。

今でもいろいろなジャンルの仕事が同時進行して、忙しいけれどそれぞれのプロジェクトが刺激的だから、充実した毎日を送っています。ジャンルやカテゴリーなどを超越した仕事の幅の広さと数の多さと内容の深さは、僕の特長だと思っています。

そういうふうに仕事をしていると、たくさんの人と出会うことになります。どの出会いも素敵で感慨深いものなんですが、そのなかでもこういうことを巡り会いと呼ぶんだろうなというしあわせな共演もありました。

そのひとつがピエール・バルーと仕事をしていたときです。バルーのコンサートやアルバム「ル・ポレン」の対訳をしてくださったのが伊東守男さんでした。僕が若い頃に衝撃を受けたボリス・ヴィアンの『墓に唾をかけろ』の翻訳者であり、「ボリス・ヴィアン その平行的人生」っていう素晴らしいあとがきを書いた方。僕をプロデューサー的生き方へ導いてくれたのは、ボリス・ヴィアンであり、伊東さんの「ボリス・ヴィアン その平行的人生」の内容だったと言っても過言ではありません。

バルーの仕事で伊東さんとごいっしょできた。やっと巡り会えたという喜びと充実感は代えがたいものがありました。

もうひとりは評論家の諏訪優さん。一九六五年に『ビート・ジェネレーション』（紀伊國屋書店刊）という本を出版したり、一九八六年にウィリアム・バロウズの『麻薬書簡』（思潮社刊）を飯田隆昭さんと共同で翻訳されたり、ビートニク文学の詩人や作家を語るとこの人の右に出る人はいないというくらい、僕もめちゃくちゃ読み込んだ評論家です。詩人で評論家の白石かずこさんを通して何度かお会いする機会を得て、そのたびにウィリアム・バロウズやアレン・ギンズバーグなど、ビートニック文学について話し合ったりしていたんです。

一九七八年にジム・モリソンとドアーズの「アメリカの祈り」が出ると

き、そのライナーノーツを僕が書いたんだけど、そのとき諏訪優さんが解説を書かれたんです。憧れの諏訪さんと、しかもジム・モリソンのアルバムで共演できたんです。これも嬉しかったですね。

シャイン・オン・ユー・クレイジー・ダイヤモンド

僕が死んだとき、葬式で流したいのが、ピンク・フロイドの「シャイン・オン・ユー・クレイジー・ダイヤモンド」。

テレンス・スタンプっていうイギリスの役者がいるでしょ。ウィリアム・ワイラーとか、フェデリコ・フェリーニとか、ピエル・パオロ・パゾリーニとかの映画に出ていた人。彼といっしょにいたとき、自分の葬式のときに流す曲の話になってその曲は、

「シャイン・オン・ユー・クレイジー・ダイヤモンド！」

ってハモりましたからね。

テレンス・スタンプはおもしろい人で、三十代のときに世界一周の旅に出たんです。インドからスタートして日本へもやって来た。

京都に来て、芸妓さんといい仲になったんです。お茶屋のお母さんもちゃんと取り持ってくれたそう。

本人は世界的な俳優だから、芸妓とはラブ・アフェアと思っているわけ。祇園って毎回請求書が届くような世界じゃないから、それを知らない彼がラブ・アフェアと思うのもわからない話ではありません。

ある日テレンス・スタンプは、彼を祇園へ紹介した人から呼び出されて、そろそろお勘定をお願いできませんかって言われたのね。彼にしてみれば青天の霹靂のような言葉だったんだけど、請求書の金額を見てさらに驚愕した。一九七七年当時で二千万円くらいだったそうです。

テレンス・スタンプはすぐにニューヨークのエージェンシーに電話して、何でもいいから金になる映画を探してくれって。それで決まったのが「スーパーマン」の悪役のゾッド将軍だったんです。

ギャラの話で思い出したけど、昔、俳優のデニス・ホッパーの写真集を作ろうと動いていて、彼とよく会っていた時期がありました。あるとき話していると一九七九年に公開された「スペース・トラッカー」という映画の話になったんですね。

くだらない映画なんですよ。宇宙に集まるゴロツキ運転手が主人公で、中身がわからない荷物の運搬を任されて、それを巡るゴタゴタが起こるっていう、B級というよりC級映画と呼びたい映画です。

デニス・ホッパーと話しているときにこの話題になって、僕がどうしてあんなくだらない映画に出たのって訊くと
「おまえ、あれを観たの？　日本でも上映されたんだ。欲しいアート作品があったとき、ちょうどその映画のオファーが来て、ギャラがアート作品と同じ額だった。神のお告げだと思ったよ。くだらない内容だけど、ディレクターの言う通りにやれば買えるんだぜ。おまえだってやるだろ」

って言うんですよ。

「だけどくだらない映画に出たらプロフィールに傷がつくでしょ」

って言うと
「大丈夫だよ。俺はたくさん出ているからいいのだけ選んで載せればわからないから」

って笑うのね。当時はインターネットがない時代だからプロフィールに出演作をすべて網羅することはないんですよ。だから大丈夫って。それで内容はともかく、ギャラを優先してお目当てのアート作品を手に入れたんです。その後に彼はこうも言っていました。

「だけどロバート・デ・ニーロは卑怯なんだ。ヤツはトライベッカのスタジオを維持するために金がいるからいろいろな映画に出るんだけど、脇役を多く引き受けるんだ。主役じゃないからプロフィールには載らない。それをいいことにくだらない映画の脇役で金を稼いでいるんだ」

って笑いながら……。どっちもどっちと思うんですがね。

美意識とセンスのルーツ。

ミュージシャン　SUGIZO

名前を知るよりも前に、意識するよりも深く、立川直樹さんは僕のなかに入り込んでいました。

僕は中学一年生のときにYMOとRCサクセションでロックにめざめ、その後に傾倒したのがJAPAN。そしてデヴィッド・ボウイ。大人になってからはピンク・フロイド。そして気づいたのは、そこには常に立川さんの名前があることでした。憧れの音や美やセンスを表現するアーティストを手がけ、そこに深く関わっている日本人が存在していたんだという発見は、鮮烈な驚きでした。

直接お会いしたのは意外と最近で、二〇一〇年くらいのこと。初対面から波長は美しく響きあいました。立川さんが「あんな感じの音にしたい」というだけで、氏の描いている世界観が僕には理解できる。それはそうです。氏は僕のあらゆる美意識とセンスのルーツであり、美の師だからです。

僕は立川さんが蒔いた種を糧に成長してきたのです。

　立川さんとご一緒する仕事は常に非常に刺激的。立川さんは笑顔で、さらりと高度なことを要求されます。僕はすずしい顔で応えているように見せますが、その裏ではものすごく鍛錬を積まなければなりません。大変だけど、その時間には多くの貴重な発見があるのも事実。立川さんとご一緒できてもっとも重要なことは、とにかくものすごく勉強になることです。この歳になっても少年のように学ぶことが次から次へとたくさん現れてくる。その刺激と意味深さは何事にも変えることはできません。

　これまでご一緒してきたプロジェクトはイベントやライブがメインだったので、今後はカタチに残るものを作っていきたい。具体的には僕のソロアルバムのプロデュースをお願いしたいと思っています。立川さんの超一流の美意識とセンスを後世に伝える意味でも、アルバムというカタチにして数多く残したいのです。

　僕は立川さんに後継者を育ててほしいと言い続けています。二十年、三十年後のためにも、立川さんの美意識、センス、才能、知識、経験、行動力を受け継ぐ存在。人を育ててほしかった、と痛切に思います。

しかし立川さんの後にあれほどの美の巨人がいるか、といえばかなり疑問ですが……。

この本がその継承者発掘のトリガーになり得れば、それほど素敵なことはありません。

アナログ原人

1969

僕は二〇〇九年に『TOKYO1969』（日本経済新聞出版刊）という本を出しました。

一九六九年って、ウッドストック・フェスティバルがあって、ザ・ビートルズが「アビーロード」を、ザ・ローリング・ストーンズが「レット・イット・ブリード」をリリースした年。年末にはアポロ十一号の月面着陸がありました。天井桟敷の活動もめざましい年で、思い返すたびにメモリアルな一年だったと思います。

ただね、この時代は愛だ、自由だって、ユートピアのように思われているけれど、社会全体はまったく自由ではなかったんですよ。

逆に凄く体制的でした。髪の毛を染めるなんて娼婦と水商売の人だけでしたからね。一流の大学に行って、学生の頃はいいけれど、卒業したら髪を切ってスーツを着て、一流の企業に入るのがよしとされているところが多分にあったんです。

ロックが好きだってこと自体が反体制的でした。だから反体制のエネルギーもまた、ロックから生まれたんですよ。

現在は髪を伸ばしてもいいし、切ってもいい。染めても誰も何も言わない。職業もいろいろ選べて自由なようだけれど、その一方でコンプライアンスが厳しくなって、何をするにしても窮屈になっているっていうのは、あの時代の空気感と似ているかもしれません。

いまという時代、音楽も軽いものばかりのなかでロックが好きだとか、ウッドストックのメモリアルイベントをする僕って、いくつになっても反体制的な存在なのかもしれません。

だけど五十年経って、やれデジタルだ、ＡＩだって言っても、時代の空気が戻ってきているでしょ。時代は巡るって本当なんだよね。

世界のあちらこちらできな臭いことがいろいろ起こって、大戦前夜の雰囲気に似てきていることだけは要注意ですよ。

アナログ原人

坂本龍一は僕のことを「アナログ原人」って言ったけど、僕はアナログにこだわっているわけでも、死守しているつもりもないんです。デジタルに興味がないだけなんです。ですから、遅れているとも思っていません。

困っていないのに、どうしてパソコンやスマホにしなければならないのかが僕にはわかりません。その習得のために時間を費やしたり、うまく動かないからといってイライラしたり、そんな時間やストレスは無駄以外の何ものでもありません。

そんな時間があるんだったら映画を観たり、ギャラリーへ行く方が僕の人生にはよほど有益なんです。

みんなデジタルとかアナログって分けようとするけど、僕はそんな気はまったくないし、アナログだからといってまわりの誰にも迷惑をかけていないと思っています。

それにデジタルでできることをアナログでできていると思っています。確かにスマホは持っていないけど、携帯電話に連絡があればすぐに返事します。ショートメールが届いたら電話で返事します。

「メール見た、で、いつにする？　うん、じゃその日に」

って電話で話せば二十秒で完結するのに、どうしてメールで送らなければならないのかって思うわけですよ。それに届いているのか、読んでいるのか、次の返事があるまでわからないというのも嫌ですね。

電話なら二十秒で完結するんだったら、その方がスピーディじゃないですか。デジタルの優位性のひとつにスピードがあるとしたら、メールより電話の方が圧倒的にスピーディです。

ただ、スマホが便利なのはわかっているんですよ。それを否定する気はありません。僕は使いこなそうとする気がないだけなんです。その便利な機能を身近な人が使えるんだったら、その人に聞けばいいだけですから。

だから六本木からどこそこまで行くのに、どの経路が速いかはスタッフにスマホで調べてもらって、そのメモを手帳にはさんで出かけます。地図もプリントアウトしてもらえばいいだけですから。

車も凄く好きだけど、ボンネットを開けたことはないですね。調子が悪くなったときのために車屋さんやガソリンスタンドがあるわけだから、行くところを決めておけば、ちょっと見てよって預ければいいんですよ。僕はその間にランチを食べに行ったり、展覧会へ行ったりできるわけ。

原稿

旅への移動中は、寝ているか、本を読んでいるか、書き物をしています。紙を持っているのが好きなんです。車窓の風景を見ていると、ふっと言葉が閃くことがよくあります。忘れやすいからそれをさっと書き留めておきたい。だから、移動の車中はずっと紙とペンを持っています。

連載とか本とか、まとまった原稿を書くときは書斎でしか無理ですが、コラムっぽい短い文章なら電車のなかとかホテルで書くことはあります。

原稿に関して言うと、僕は、流し込みは絶対に嫌なんです。一行が何文字かは必ず確認するし、それが決まっていなかったら決めてほしいってお願いします。決まるまで書きません。いや、書けないというのが正解かな。

文章が改行してすぐ終わるとか、受けマルが行の上のほうに来るのは気持ちが悪いじゃない。改行するときも、せめて一行の真ん中あたりまで持っていきたい。文章は内容だけでなく、組み方、見え方も重要です。

あと、写真やイラストとまったく関係がないところにそれに関する文章があるのも僕には考えられません。

基本はレイアウト先行で、それに合わせて文章を書くタイプです。

ただ書けばいいという書き手ではありません。強いて言えば、原稿用紙にまで美意識を働かせたい。最近は、そんな意識の薄い書き手が多くなってきたようで、残念ですね。

物

僕はデータって好きじゃないんです。ＣＤとか本とか、物が好きなんです。スマホがあれば音楽が聴けるって言うけど、そんなのは車にＣＤを積んだり、ホテルへＣＤを持って行けばいいだけのことでしょ。

それに、今回はどのＣＤを持って行こうかと選ぶ楽しみは捨てたものではありません。ホテルなら持ち込んだＣＤを無機質な部屋に並べて、心地いい空間にしていくのも楽しいもの。なんでもパソコンやスマホに詰め込んで、いつでも聴ける状態にするって、便利だけど楽しみがないですよね。

だから、昔は文庫本も好きじゃなかったんです。みんな同じサイズで、同じような顔つきでしょ。ハードカバーしか買わない時代もありました。

全集も、小泉八雲とか谷崎潤一郎とか永井荷風とか、作家を知るためだったらいいけど、世界文学全集とか近代日本文学全集とかアンソロジー的な全集ってあるでしょ、あれは好みじゃないですね。

スクラップ

スクラップは十六歳くらいから続けています。

新聞だけでなく雑誌のスクラップもしていて、雑誌の場合はまわりに白ふちがあるデザインならホッチキスで留めるけど、全面写真の場合はホッチキスは使いません。クリップで留めます。

写真に穴が空くのが嫌なんです。穴を空けるのは、写真にも失礼ですし。だから、僕のスクラップはきれいな資料になっています。演劇とか、写真とか、食材とか、建築とか、ジャンル毎に分けて整理しています。

本とかCDとかスクラップとか、物はたくさんありますが、決して乱雑ではありません。本もCDもアイウエオ順に整理されているので、どこにあったっけって探すことはありません。すぐに取りだせます。

ただね、引っ越しをするとなると大変なんです。物の量がハンパではないので一度ではできないし、一日でも終わりません。どの荷物をどこに収納するかは僕にしかわからないし、だからといって一度に運んで、整理がつくまではダンボールのなかで暮らすなんて、そんなことは死んでも嫌ですから、少しずつ運んでは整理して、また運ぶんです。

スライドさせながら行うので、引っ越しが完了するまでには最低半年はかかります。その間は家が二軒ある状態です。もう、大事業ですよ（笑）。

機器おんち

メカ的なことにまったく興味がありません。車は好きですが、ボンネットのなかがどうなっているのはまったくわかりません。興味がないんです。

オーディオも自分でセッティングはできません。DVDデッキの予約録画もできません（笑）。操作とか配線とかまったくダメです。

ワープロもパソコンも触ったことはないですね。だから原稿は手書きです。僕の人生にとって、機器や機械は必要だけど、それをマスターするとなると話は別になります。

機器や機械の仕組みはその道のプロの人のものであって、その人たちが熟達しているわけだから、中途半端にマスターしようとするよりも、その道のプロに頼めばいいっていうのが僕の考えなんです。

原稿にしても、ワープロやパソコンだと、消しゴムで消しながら言葉を整えたり、推敲したりはできないわけじゃないですか。だったら、僕は手作業の世界でいい。

その意味で言うと、デジタルってものには食指は動きません。

さらに言えば、SF映画もあまり好きではありません。アニメもダメだし、ミュージカルも何本かを除いていいとは思わない。コメディもあまり好きではありません。底抜けに笑えるまで突き抜けたものは別ですけど。三木のり平さんなんかの芸達者が集まった、森繁久弥の社長シリーズとかね。

そう言えば昔、六本木のスナックで飲んでいると、フラリと三木のり平さんが来たんですよ。白いスーツをさらりと着て、真っ赤な長いマフラーをしてね。会話も粋で、本当にお洒落でした。もう、あんな俳優さんはいなくなりましたね。

ハサミ

日常の必需品のひとつがハサミ。

旅へ出るときも必ずバッグに入れています。

自宅や事務所ではもちろん、旅先でも新聞とか雑誌で必要な記事を見つけると、ホテルの部屋に着いてから、ハサミを使って切り取らなければ気がおさまらない。切るだけじゃなくて、日付を記してファイルに入れなければ、ひと仕事終えた気になりません。

思い立ったことで、その場で完了できることはその場で終えたい。持ち越すことが嫌なんです。

ファイル

その日にやると決めたことは、その日にやる。

僕は何事も持ち越すことが嫌なんです。何かの事情でその日にできなくても、次の日の朝には仕上げなければ気がおさまらないんです。

連載とかラジオの収録とか、仕事別にファイルがあって、メモや資料や届いたメールなどもそれぞれのファイルに綴じているので、何からどうするかは、それを組み替えながらスケジューリングするだけでいいんです。

そしてやり終えたものからそのメモや資料を捨てていくので、やるべきことを忘れることはありません。

いろいろな仕事がいつも同時進行しているけれど、各仕事の情報はそのファイルに整理されて、すべて集約されているので、その仕事の前にはそのファイルを見ればいいし、終わればその部分の資料を捨てればいい。

それってアナログなんだけど、整理と更新と管理っていうことで言えばデジタル的です。僕はアナログでデジタル的なことをずっとしているのかもしれません。

デジタル志向の人は、そのあたりが実はズボラで、できないからデータにすれば管理できると思うわけですよ。

僕はアナログ原人だけど、整理と更新と管理という面では、デジタルの人よりもきっちり行えているかもしれません。

DAYS

睡眠

しょうがないから四、五時間は寝ているけれど、できることならずっと起きていて、映画を観たり、音楽を聴いたり、本を読んでいたい。

一日何時間寝なければならないとか考えたことはありません。明日に備えて早く寝ようなんてことも考えませんね。僕にとっては今日、そしていまの楽しみが最優先なんです。

たとえば昨日。

仕事のアポがあまり入っていなかったので、昼間に試写を観て、お寺でやっている現代彫刻美術展へ行って、その後、世界報道写真展へ寄って、夜はワハハ本舗の舞台を観に行って、十一時くらいに家へ戻ってくると、週末にオペラ好きな人のメモリアルナイトをやるので、プッチーニの三枚組のオペラを聴いていたんです。すると気持ちよくなっちゃって、それから赤ワインを一本空けてしまいました。

それで今日は七時くらいに起きて、朝のうちに雑誌の原稿を書いて、昼はホテルのレストランの試食会でフレンチのフルコースを食べて、そしていまに至るって感じです。

好奇心が旺盛というか、欲が深いんでしょうね。ほとんど寝ていないときでも、初めての場所へ向かうときは、移動の列車とか車からずっと景色を見ています。何度も行き来している東京大阪間の新幹線なんて、乗ってからものの十分ほどで昏睡状態になりますけどね（笑）。

片づけ魔

伊丹十三さんとセルジュ・ゲンスブールと僕とに共通していることがあって、そのひとつは同じ服をがさっと買うこと。まわりの人はいつも同じ服を着ていると思っているかもしれないけど、実は毎日違うんですよ。

もうひとつは、片づけ魔であること。

セルジュ・ゲンスブールは凄かった。家に無駄なものはひとつもないし、バスやサニタリーの壜のラベルはどれもがきちんとこちらを向いていました。字があちらこちらに向いているのが嫌なんでしょうね。

それが灰皿であっても同じで、字が書いてある灰皿だとちゃんと読めるように吸い殻を並べ直したり、たばこの灰がテーブルに落ちかかると、話しながらでも灰をよけたりしていました。

あの無精髭も、無精に見えるように手入れをきちんとしていたんですよ。フィリップスに頼んで、二ミリほど残るひげそりを特注していましたからね。僕はそれをひとついただきました。

僕もセルジュ・ゲンスブールに負けず劣らずの片づけ魔。B型だけれど片づけ魔。クローゼットのTシャツも色のグラデーション順にきちんと並べるし、スーツもこの隣はこのスーツって位置も決まっています。

本にしろ、雑誌にしろ、背文字がきちんと見えて、日本の本ならアイウエオ順、洋書ならアルファベット順に並んでいます。CDやレコードも本当にたくさんあるけれど、アルファベット順にきちんと整理されているから迷うことはありません。すぐ取り出せます。

事務所のスタッフは大変だと思いますよ。ちょっと散らかっているだけで片づけろって口うるさく言われるんだから（笑）。

十八歳になったとき、親から言われました。頼むから家から出て行ってくれないかって。おまえがいるとあまりに細かく言われるから、家から潤いがなくなるって（笑）。

スーツとTシャツ

スーツを着るようになったのはわりと早くて、二十代の前半から。若い頃から僕はスーツが好きだったんです。ジーンズは履いたことがありません。アメリカの労働着と思っているから。アメリカ人よりフランス人の服の着方が好きです。

ブランドまで決めている人がいるけれど、そんなことはまったくありません。その場でいいと思ったら買います。バーゲンでも、いいなと思ったら買っちゃうし。店も、金額も、最新のトレンドとかも関係ないんです。そのスーツがいいか、悪いか。基準はそれだけです。

でも、結果として同じようなスーツを選んでいますね。基本は無地で、グレーかベージュかモスグリーンが多い。黒っぽいスーツは、髪が白くなってからは着なくなりました。

Tシャツは白とグレーとベージュと黒の四色。スーツによって替えるから、四色は必要。それぞれ二十枚から四十枚くらい揃えています。しょっちゅう着替えますからね。同じ色のTシャツであっても、夏場などは朝と昼と夜とで着替えることもあります。

年中、Tシャツにスーツ。冬場はそれにストールとコートをプラスするだけ。ネクタイは締めたことがありません。

ずっとそのスタイルでいると、もう随分と前に、当時のホテルオークラの社長から

「立川さんのTシャツとスーツというのは、ひとつのフォーマルでも通用するね。立川さんなら〝ベルエポック〟へ入るのにネクタイなしでもいいよ。ただし上着だけは脱がないでね」

って言われました。

このスタイルに関しては誰かの影響はなかったですね。スーツが好きだったってことだけです。

長髪

長髪は高校の頃からです。

その当時は、髪を伸ばすってこと自体が反抗の象徴でした。権威に反抗する、それって自由の象徴でもあると思っていました。いままで一度も短くしたことがないのは、そんな想いがいまだにあるからでしょう。

高校時代はハサミを持った先生に何度も追いかけられました。だけど切らない。堂々と長髪で通っていました。

そんな姿が後輩にはかっこよく映ったのでしょうか、高校ではヒーロー的なところがありました。後輩が手を振ってくれるなか、教室へ向かって行くってことがありましたよ。

ゴルフ

ゴルフはしません。いろいろな意味で、僕にとっては無駄以外の何ものでもないからです。

包囲されてやらされそうになったことはあるんです。

田辺エージェンシーの田辺昭知さんに呼ばれて会社の社長室へ行くと、田辺さんのほかに、渡辺貞夫さんと、オーエンタープライズの小野英雄さんと、そして知らない男の人がいたんです。ナベサダさんも小野さんもゴルフが大好きだから、イヤな予感がした（笑）。そしたら案の定、初対面の男がゴルフ屋さんだったんです。

三人から、全部買ってやるからおまえもやれってことだったんです。

田辺さんには以前から、ゴルフができればそこでいろいろな話ができるからやれよって言われていたんですけど、のらりくらりとかわしていたんです。そしたら遂に実力行使ですよ。絶対絶命（笑）。

そこで田辺さんに言ったんです。

「僕っていろいろ仕事させてもらっていますけど、一度も遅れたことないですよね」

「そう、ちゃんとしてる」

「約束やルールはちゃんと守ってますよね」

「ああ、ちゃんと守っている」

「だから仕事以外で、約束とかルールに縛られたくないんです」

そう言って難を逃れました。

僕は、仕事以外で、人と約束をするのが嫌なんです。仕事以外では誰にも束縛されたくない。

海も好きで、シュノーケリングはするんです。だけどダイビングはしない。シュノーケリングはひとりでできるでしょ。ボンベを背負って潜るとなると人の協力が必要になるじゃない。それが面倒だからしないんです。

休日も誰かと予定を組むのって嫌なんです。気が向いたときに、フラッとどこかへ行きたい。そのためには約束はない方がいい。僕の休日に必要なのは車だけなんです。

車

ずっとフランス車に乗ってきました。一度だけイタリアのフィアットのセダンに乗っていた時期はありましたけど、後にも先にもその一台だけですね。アメリカ車はもちろん、ドイツ車も乗り心地が硬くて好きではないんです。フランス車がいい。シトロエンの2CVはセカンドカーとして三十年以上乗っています。

いまメインの車として使っているのはプジョーの508。サスペンションがふわふわした感じとでも言うのかな、ゆるい乗り心地が好きです。ドイツ車って硬いというか男性っぽいというか、戦車って感じがするんです。フランス車はソファに座っているような心地がして女性的で、エロティック。家具って感じがするんですよ。それがいい。

僕は車にも居住性を求めるタイプ。シトロエンのC5に乗っていたんですけど、走行距離が十二万キロを超えて故障も増えてきたので、買い換えようとしたんです。ただ、最近の車は相対的にボタッとした感じになっていて、なかなかこれという一台を見つけることができずにいました。プジョー508を見つけたときは、スーッとした感じが嬉しかったな。

でもびっくりしたのは、最近の車にはCDプレイヤーがついていないんです。それはフランス車も同じ。だから販売会社の人に、CDが聴けるようにしてくれって言ったら、後ろのトランクにオートチェンジャーを取り付けるしかないという返事だったんです。やっぱり音楽はデータではなく現物のCDで聴くのが好きだし、自分の暮らしのなかで音楽を聴くってことはどんどん重要度が増してきているし、車のなかでも音楽は絶対に必要だから、しぶしぶトランクに取り付けました。

それで変わったことがあります。

いままでの車の場合は、適当にCDを何枚か乗っけて、違うなと思えば入れ替えればよかったんだけど、オートチェンジャーがトランクにある場合は頻繁に入れ替えることはできないでしょ。入れ変えるためには車をとめなければなりません。

オートチェンジャーにはCDが六枚入るんですけど、その六枚を何にするかは凄く考えるようになりました。今日はどこへ行くか、誰と行くか、晴れているのか、雨なのかでその六枚のＣＤが変わりますからね。その選択はいままでより緻密になりました。

それって、僕には苦ではないんですよ。映画監督が画面に音楽をつけていくのと同じ感覚かもしれません。そんな手間より、適当に選んで、そのときの気分と違う音楽を我慢して聴くほうが苦痛。寝るときでも小さな音で何かをかけるんですけど、寝落ちしそうな瞬間に曲が変わって、それが気分と違ったらわざわざ起きて入れ替えますからね。

座席

些細なことでも、僕にとってはこうであってほしいことがあるんです。たとえば、誰かと席につくとしても僕は奥の席に座りたい。背中が壁につく席じゃないと落ち着きが悪いんです。

初めて会った人の場合は仕方がないけれど、その好みを伝えたことがあるにもかかわらず通路側に座らされたらムッとしますね。その程度のことって思われるかもしれないんですが、僕にとっては、その程度のデリカシーもないのかと思ってしまうわけです。

列車にも好みの席はあります。

東海道新幹線は浜名湖あたりの景色が好きなので、席の予約はD席を押さえます。北陸新幹線はA席。直江津の先の日本海が見たいから。サンダーバードならC席。琵琶湖を見たいんです。

座席に関しても、欲が深いんですよ。

経験

小さい頃からたくさんの料理店で食べてきましたから、味わうことにかけてはプロフェッショナルだと思っています。

ホテルオークラで行うイベントで料理の試食をしたときも、試食をして、いろいろ意見を言うわけです。当初は料理長とぶつかることもありました。

あるとき料理長に
「立川さんの実家は料理屋ですか？」

って訊かれて、

「違いますよ」

って答えると、

「じゃあ、料理学校へ通ってましたよね」

って言うから、

「そんなところには通っていません」

って返すと不思議そうな顔をするわけです。

　どうしてですかって訊くと、

「立川さんの言うことは腹が立つくらい的を射ていて腑に落ちるんだけど、料理屋の子でもなければ料理学校にも通っていない。どうしてなのか」

って言うから
「数じゃないですか」

って答えたんです。

「なんですか、数って？」

って訊くから
「小さい頃から外食の回数が半端なく多かったんです」

って言ったら凄く納得していました。

　音楽でも映画でも本でもそうですけど、重要なのは数なんです。選んでいる間はダメですね。数や量が質になっていくんです。

化粧

僕は化粧をしていない女性って好きじゃないんです。
作る感じ、化ける感じ、そして化粧の匂いが好きなんですよ。

人生は祭りだ。ともに生きよう。

株式会社ライトパブリシティ代表取締役社長　杉山恒太郎

映画8 1／2の中でフェデリコ・フェリーニは主人公グイド（マルチェロ・マストロヤンニ）にそう呟かす名台詞がある。

さて立川直樹といえば極寒のパリの街を歩く姿が見える。立ち寄るのはサンジェルマン・デ・プレのカフェ・フロール、いつものことだ！　そして椅子に掛けられたロングコートはゲンズブルグの匂いがするし、冷たい外気との温度差で湯気立ちこめるカフェの奥から聴こえて来るのはボリス・ヴィアンの唄声"J'suis snob"（僕はスノッブだ）、そして枯れ葉舞う舗道にはシトロエン2CV（彼はじっさい今も東京の街をこのクルマで駆けている）の姿がよく似合う。こう言葉を綴っていくと立川直樹という人の艶姿が徐々に浮かんでくるだろう。これだけでもフレンチマニアには垂涎ものかも知れないかもしれないが、それは彼を知るあくまでも導入部分であって、もしこんな人が現存していたら知り合いにはなれても友だちにはなれない！

えっ、何故？　だってこれじゃ少々息苦しくないかい。おとこの色気に必要な怠惰、自堕落、だらしなさ、甘美な背徳感、そして何よりもイケズで茶目っ気、これらをぜんぶひっくるめ構成しているのがミック（普段いつもこう呼んでいるので以降はこれで）という人だからこそ僕らは彼にずっと惹かれてきたし彼の友人であることがとても誇らしくさえ思えるのだ。

祭り（カーニバル）とは限られた時間の中での人間の暗部への全面肯定だと僕は考える。冒頭フェリーニの８ 1／2の台詞を引用させてもらったのはけして主人公グイドにミックを投影したのではなくこの映画が醸し出す〝世界観〟そのものが過日若い時分に初めて出会ったときから今も寸分も変わらない立川直樹そのものだからだ。

彼らにとっては道楽はすなわち職業なのである。　　夏目漱石「彼岸過迄」

それは遊んでいるのか働いているのか、はたまた働いているのか遊んでいるのか、傍から見ると全く判らないミックは生きる巧者だ。そんな立川直樹にはこの言葉で中締めとしたい。

空の下

魚屋

知らない人と喋るのは苦手じゃありません。むしろ得意な方。おそらくそれはおやじの影響ですね。

おやじも祖父も人と喋るのがうまい人でした。話すのではなくて、喋るってニュアンスね。

旅に出ても、車に乗ったら必ずその運転手さんと喋っていました。世間話をしたり、ちょっと運転手さんをいじってみたり。たわいもないことを喋りながら到着までに、その地のおいしい店やいい飲み屋とかの情報を巧みに引き出すんです。

子ども心に、本当にいいことは人から仕入れるもので、その仕入れは喋ることで得られると思っていました。旅先で店を探すときは町の魚屋さんで聞いたりするんですが、その原点にはおやじの影響があると思います。

初めての町へ行って時間があると、僕はふらっと市場や町の魚屋さんへ

行くんです。いい魚を並べている店があると、

「おやじさん、いい魚だね」

「お客さん目が高いね。今日のこの魚は最高だよ」

「やっぱり。で、この魚ってどの店へ行くの？」

って聞くと、どこそこって教えてくれるわけですよ。

「その店、今夜行こうかな」

って言うと、碗ものが最高とか、味噌焼きがいいとか教えてくれる。

仕事が終わってその店へ行くと、まず間違いはないわけです。

魚屋のおやじに聞いたメニューを頼むと、初めての客なのに自信のあるものばかり頼むって一目置かれたりする。すると相手の態度も変わる。店の人との会話も内容のあるものになっていく。その内に、ほかのいいお店を教えてくれたりする。そんなことは三十代前半からやっていましたね。

人から情報をいただくには喋りやすい雰囲気をつくらなくてはならないんですが、そこで大切なのは微妙な塩梅。嫌がられてもいけないし、なめられてもいけない。その微妙な塩梅に長けてる人は一目置かれるから、うかつなことは言えないとなります。つまり実のある情報を得ることができるんです。

ホテル

ホテルも、定宿ともなれば部屋も決まっています。何かの手違いで違う部屋になると、きっちりクレームします。

旅が多いとホテルも住まいですからね。いかに「家化」するかが快適に過ごす秘訣なんです。

キリンプラザ大阪の仕事で頻繁に大阪へ行っていたときは、スーツケースを先に送って、開けてもいいから服とかは部屋のクローゼットにかけておいてくれって頼んでいました。本やラジカセも預かってもらって、次に来たときは部屋のいつもの位置にきちんとセットしてもらっていました。

不自由をしないことがいらぬストレスをためないことにつながります。三泊や四泊以上泊まる場合は、ＤＶＤプレイヤーを部屋に入れておいてもらうようにオーダーしますし、定宿のように使わせてもらっているホテルでは、何も言わなくても部屋にＤＶＤプレイヤーを置いてくれています。

ＤＶＤプレイヤーはＣＤも聴けるから、ホテルに戻っていいテレビ番組がないときは、レナード・コーエンなんかを聴いていたりするんですよ

テレビは嫌いじゃないんですけど、コメンテーターが出ている番組はほとんど観ません。最近はニュースくらいですね。だから八時以降はＢＳやＣＳでいい番組をやっていない限り、音楽の出番になるんです。

知らない場所

旅へ出て、知らないところをひとりでぶらぶらするのが好きです。

京都で仕事があるとして、予定が十八時なら、十六時くらいにホテルにチェックインするようにします。仕事までの二時間、目星をつけていたあたりを何があるんだろうとブラブラするんですよ。

京都に限らず、ほかの町でも外国でも、知らないところに興味がありますね。だから僕は、ひとりだと結構歩きます。

また、ひとりの場合は、タクシーにはめったに乗りません。

食事をして飲んだあとでも、電車があれば乗って帰るのは何の苦でもない。それよりも、知らない運転手と狭い空間のなかでふたりきりになる方が僕にとっては苦痛なんですよ（笑）。

荷物

基本的に荷物は持ちたくないタイプです。

普段はほとんど手ぶらです。スーツのポケットに、手帳とメモとペンとお金を入れておくだけ。

会議の席も手ぶらですね。初めての人は怪訝そうな顔をしますが、僕は記憶力がいいし、前回のこともほとんど覚えているので、何回目かからはみなさん安心した顔になります（笑）。

手ぶらで移動したい。旅に出るにしてもバッグはできるだけ軽くしたい。重い荷物を持って歩くのは苦痛です。

力仕事が苦手ですね。

何泊かの旅のときは仕方なくキャリーバッグを引っ張っていきますが、その道中に持ち上げなければ歩けないところがあるときは送ります。その点は徹底しています。

財布

財布もプライベートのときは持ち歩きません。

出かけるとき、今日はどれくらい必要かを考えて、一万円札と千円札を何枚かポケットに入れていくだけです。

旅先でも同じですね。

クレジットカードは基本的に使いません。海外へ行ったときに仕方なく使うくらいで、国内の場合はまず現金。クレジットカードが好きじゃないんですよ。僕は圧倒的に現金派なんです。

その日のお金が足りなくなったことはありませんね。これくらいかなと持って出て、それで不思議とまかなえるんです。

そのあたりの勘はものすごくいいんです。

古本屋

本は常に身近にないと落ち着かないところがあります。

本屋さんにはそう頻繁に行けないから、これぞという本屋さんに行くと台車を借りて、気になるものをどんどん入れて送ってもらうんです。

地方へ行っても同じで、金沢のオヨヨ書林なんかへ行くと箱買いですよ。送ってもらって自宅でじっくり読むんです。京都でもアスタルテ書房なんて最高ですよね。時間を忘れて古本の世界に入ってしまいます。

新刊を扱う本屋さんもいいけれど、古本屋さんは昔から大好きですね。料理店と同じで店主の趣向があるし、新刊を扱う書店と違って何があるかわからないでしょ。何かあるかもしれないし、ないかもしれない。そんな一期一会のところもいいですね。

ただ、店主の好みが新刊を扱う本屋さんより強烈に反映されるのが古本屋さんだから、自分がコレと思う古本屋さんでは、たいていコレっていう本と出会えるんです。地方へ行ったときも、時間があればフラッと馴染みの古本屋さんをのぞいたりします。新刊の本屋さんより、古本屋さんへ行ったときのほうが買う量は圧倒的に多くなります。

東京にも、昔はいい古本屋さんがたくさんあったんですよ。下北沢にあったり、赤坂にあったり、巣鴨にもあったり。少なくなったのはちょっとさみしい気がします。

だけど最近、若い人が新しいタイプの本屋さんを作っていますよね。嬉しいですね。自分がいいと思う、好きな本を、自由に、思いっきり並べてほしいと思います。

東京

僕にとっての東京は、何でもある街。

東京で生まれ育って、本当によかったと思っています。古くて、妖しいところが少なくなっているのは残念だけど、僕は体験できましたからね。

随分と前に村上龍さんと話したとき、立川さんはしあわせだよねって言うんです。たとえばゴダールにしても、佐世保にいると文字情報では知ることができるけれど、映像は観たくても観ることができなかったって。

もうひとつは、生きてきた時代もよかった。マイルス・デイヴィスにしてもボブ・ディランにしてもザ・ローリング・ストーンズにしてもリアルタイムで聴いてきたし、ゴダールもリアルタイムで観てきました。

名盤や名作として整理された後追いで聴いたり観たりするのと、ワケもわからないカオス状態で新譜や新作として聴いたり、観たりするのはまったく違うんですよ。

一九七二年にリリースされた、ザ・ローリング・ストーンズの「メイン・ストリートのならず者」を、いま振り返って聴くのと、当時新譜として聴くのとでは衝撃も受け取り方もまったく違ってきます。

時代的に言うと、ちょっと前でもダメだし、後でもダメ。デヴィッド・ボウイの言う「ゴールデン・イヤーズ」じゃないけれど、いちばんおいしいところを芯まで食べてきたという感じですね。

何でも経験できたし、何でもしてきた。だからあれはどうだったんだろうとか、しとけばよかったなっていう後悔は、ないんですよね。

大阪

大阪は音楽愛が凄い。だから、東京では成り立たない「ラジオ・シャングリラ」も大阪では評判になるんですよ。

京都とも違う、神戸とも違う。これだけ中国人を受け入れた町は大阪以外にないいんじゃないですか。ええやんか、金を使こうてくれるんやからって、割り切りができるラテン気質が大阪の凄いところですね。

抵抗するからいろいろな問題が起こるんです。中国は繁殖力が半端ではないから抵抗してはいけないんです。勝てっこありません。

大阪はそれをうまく受け入れている。いまはなくなった香港の活気と猥雑さは、なんば花月あたりにまだありますよ。

京都

京都には月に一、二度は訪れています。大好きな町だし、友だちも知り合いもたくさんいるし、京都での仕事もどんどん広がっています。

東京から金沢へ行って、京都でひと仕事して東京へ帰るとか、東京から京都へ行って、その仕事の後に金沢へ行って、東京へ帰るってことも多いです。

京都のいいところは谷崎潤一郎の陰影礼賛ではないけれど、まだ闇がちゃんとあるところです。路地の奥の奥なんて、どこか魔界へつながっているんじゃないかと思うところがまだまだあります。

昔、円山旅館を常宿にしていた時期があって、夜、食事を終えると、円山公園を横切って宿へ戻っていたんです。夜の円山公園にも深い闇があるからちょっと怖いところもあるんですが、こんな深い闇を抱えている町って他にはないと思いますね。田舎は暗いだけなんですが、京都の場合は闇って表現がぴったり。その深さが京都の奥深さのような気がして、もう大好きな町ですね。

食と酒

もやし炒め

おいしいものは好きだし、食事の時間は大切にしているけど、僕は俗に言うグルメってタイプではありません。高級なものしか食べないとかはないし、店の星がいくつなんて、僕には関係ないし。

星の数とか値段より、食材へのこだわりとか店の主の食への想いとか、ストーリーのある店が好きですね。

町の中華も好きなんですよ。もやし炒めで一杯飲むなんて最高です。最近は〝町中華〟ってちょっと流行になって、テレビ番組なんかもあるけど、僕は二十代の頃から町の中華屋さんについてはかなり詳しかったと思います。香港とかに行ってもね。

その経験から言うと、もやし炒めをうまく作れる料理人は本当に腕のいい料理人だと思って間違いないですね。

暖簾

僕はいまだにガイドブックやインターネットで店を探したりすることはありません。地元の信頼のおける人に聞くのがいちばん。だけど、常にそんな人がいるとは限りません。

そんなときはひとりで町へ出るんだけど、いい店は佇まいでわかるんだよね。暖簾が僕を呼ぶ、とでもいう感覚。入ったことはないけれど、この町ではきっとここだってピッとくる店があるんです。

石川県の七尾に、町中華で「ふあんてん」という店があるんです。暖簾がいい感じだったので入って、ビールを飲みながら餃子を食べて、最後に天津飯を頼んだら、それがめちゃくちゃおいしかった。

金沢に戻って食にうるさい知人にその話をすると、なんで「ふあんてん」の天津飯を知っているんですかってびっくりするわけですよ。

どうも知る人ぞ知る店というか、地元の食通の間では有名な店なんだけど、ただあまりにも外見が普通すぎて一見さんならまず足をとめない。たいていは通り過ぎて行く佇まいの店なんです。

だけど僕の場合は勘が働いて、ここは何かあるぞとわかるわけ。ほぼ外したことはありません。

外食の数が普通の人の比ではないので、初めての店でも、暖簾を見て、この店は何かありそうだって見抜く勘というか能力は磨かれているんです。

BGM

多くの料理店に言えることだけれど、音楽に無頓着すぎますね。ジャズをかけていればいいって店が多すぎます。

どうして流すんでしょうね。ビル・エヴァンスとかブラッド・メルドーとか、音を拾うようなジャズならまだしも、ブロウするサックスなんて聴かされると、ちょっと違うだろうと思うんですけどね。

料理って五感すべてで味わうものです。その意味で言うと料理人は、聴くってことにあまり意識が働いていませんね。食材とか調理はもちろん、インテリアにも凝るのに、音と光、それがダメな店が本当に多い。

個人的には、料理に音楽はいらないと思っています。食材を切ったり、焼いたり、揚げたり、皿や客の声などがいちばんのBGMなんです。

注文

店に入って、すべておまかせは嫌いです。

安易な選択は危険です。

僕は、初めての店でも料理は自分で選びたい。人に連れて行ってもらった場合でも、招待であったり、目上の人が多かったり、そのときの状況はいろいろあるけれど、できるなら自分でも選びたい。

プロデューサーの能力って、相手の持っているものをどれくらいうまくひっぱりだすかだと思っているんです。料理の注文にも同じことが言えて、多すぎるとうんざりするし、少なすぎるとさみしいじゃない。

©名越啓介（UM）

いろんな世代の人と同席したときも、これを人数分って安直に決めないで、あれをこれくらいとそれをこれくらい、あとそいつもちょっともらって、それらをいただいたあとで様子を見てから追加を頼みますって注文すると、その場にいる人が安心して心を開いてくれるんです。

その加減をいかに読み取るか、そんなプロデュース能力って、どんな職種、シーンでも必要だと思いますね。

刺身

刺身にはそれほどときめきません。魚は好きなんですが、煮たり焼いたり、一手間かけたものがいい。焼き魚でも、身はもちろん、皮も好きですね。鮭でも、皮を食べないなんて僕には信じられません。

刺身にはときめかないから、寿司もね、高級な店には足は向きません。寿司とワインのマリアージュなんて、何考えてんだって思いますよ（笑）。

痛風

痛風持ちだけど、おいしいものを目の前にしたときは、そんなことを考えて食べることを躊躇したらダメ。

この頃はあまり発作が起きないけれど、よく発症していた頃は「痛風老人日記」って本を書こうと思ったこともあります（笑）。

何十年か前に、理由は忘れたけど新潟の村上へ鮭を食べに行ったとき、発作が出たんです。でも、前へ進む。杖をついてホームの階段をあがっていたら、みんなに本当にあきれられましたよ。

失われた雲丹を求めて

僕の若い頃は輸送機関もそれほどよくなかったから、東京の生魚ってそんなに鮮度がよくなかったんです。

僕は雲丹が好きじゃなかった。僕が小学生の頃ってちょっと臭ったんです。特上の寿司には入っていたんですが、雲丹だけは人にあげていました。

あるとき友人が、彼の同級生が女将を継ぐことになったので、神楽坂のその料亭へ付き合ってくれと言われて同席することになったんです。友人のお供だし、顔を立ててやらなきゃいけないからわがままは言えません。

その席で、最初の小鉢をあけると雲丹だったんです。シチュエーション的に食べないわけにはいかないじゃないですか。仕方なく食べるとこれがめちゃくちゃおいしかったんですよ。

六本木に「鹿六」って店があって、加藤和彦なんかとよく行っていたんですけど、その翌々日くらいにその店へ行って

「雲丹を！」

って注文すると
「立川さん、雲丹は食べなかったじゃない」

「いや、めざめたんだ。これからは雲丹。失われた雲丹を求めて、なんだ」

って言うとみんなにバカウケ。それからはしばらく箱で食べていました。

〝失われた雲丹を求めて〟ってうそぶいてね。

デザート

デザートは、食後、必ず食べます。

居酒屋みたいなところで食事をして、店にデザートがない場合は、店を出てからコンビニへ寄りますね。

コンビニの百円代のアイスはバカにできません。ハーゲンダッツに負けていません。うまいですよ。コンビニに商品を卸すメーカーは商品開発を徹底しているし、大量生産力が凄いから、同じ品質でもコストを抑えることができるんです。

あるとき、フレンチレストランのシェフと沼津で寿司を食べて、口の中が魚っぽいからコンビニへ寄って、当時の人気商品だった練乳イチゴをいっしょに食べたんです。ふと見るとシェフが変な顔をしているのね。どうしたのって訊いたら、これ、ウチの店で、八百円で出せるって（笑）。それほどうまいんですよ。

食生活

食のバランスはいいんです。

まわりからはデタラメのように見えているかもしれないけれど、魚をメインに、野菜をよく食べるようになりました。その分、肉や炒め物や揚げ物などは少なくなりました。

身体を壊したり、医者に言われてそうしているわけじゃないんです。自然とそうなって行ったんです。

昔は肉なんかもバリバリ食べていたからね。それこそ、上野の焼肉屋でキックボクサーに間違えられるくらい（笑）。僕に似たキックボクサーがいたんだって。それで店主が間違うくらい食べていた。

僕はキックボクサーじゃないと言うのに店主は納得しないの。絶対そうだって、今度がんばってくださいねって（笑）。それほど肉を食べていた時期もありました。

酒

飲む酒はワインが多いですね。あとは日本酒かな。

僕たちが若い頃は、まともに飲めるワインってそうなかったんです。「キャンティー」など限られた店に少しあったくらい。だから、一九七〇年代の始めにパリへ行ったときはびっくりした。ああ、これがワインかって。

パリのビストロでがっつりした料理と地ワインをたらふく飲み食いしたから、僕はいまだにフレンチにはそのイメージがあるんですよ。作りすぎた、ポーション系のフレンチってあんまり好きじゃない。ずしっと、作り手の人格が現れるフレンチが好きです。

ウイスキーはあまり飲みません。ちょっとマッチョな感じがするんです。開高健さんとか北方謙三さんが書いているような世界はわかるんだけど、僕はそこまで男っぽいのはいいや、と思うタイプ。ヘミングウェイも苦手ですね。理解はできるんだけど身体が受けつけないという感じ。

同じ系譜で言うと、クリント・イーストウッドとかブルース・スプリングスティーンもダメ。男臭い。

質実剛健、正義とは何かを身体で伝えようとするその世界って、アメリカと日本特有ですよ。ヨーロッパにはないね。イギリスにもないんじゃないかな。その意味でも、ヨーロッパの正義をふりかざさない感じが好きです。正か悪かではなく、その間にあるドラマを描く世界がいいんですよ。

アメリカは正か悪かをはっきりさせなければ受けないから、六〇年代や七〇年代のヨーロッパ映画は、アメリカ版だけエンディングの違う作品が結構ありました。ヴィスコンティの映画をズタズタにカットしたり、ドキュメンタリーの世界でも平気で作ったりするし、それはある意味で凄いよね。

まあ、アメリカは国自体も開拓して作ったところがありますからね。セントラルパークもそうだし、マイアミも沼地を街にしてしまったわけだし、ロサンゼルスも砂漠に作った街ですから。

その精神で世界を作ろうとしているところに、現代の破綻の一端があるのかもしれませんね。

勘の鋭さ、その正体を知りたい。

フードコラムニスト　門上武司

立川直樹さんとは、いつ、どのような縁で知り合ったのか全く覚えがない。気がつけば一緒に温泉に入ったり酒飯を共にする仲になったのである。仲になったというより、先輩にお付き合いいただいていると記したほうが正しい。そして驚くのは会うたびに、新たな発見や刺激があるのだ。この扉を開いたと思っていたら、また次なる扉が現れたり、別なる入り口が登場し、そこでめくるめくような体験やエピソードに接することができる。

そして感覚というか、野生の勘が異様に働くのである。突然電話がかかり「カドカミさん、京都から金沢に向かう途中、琵琶湖の北のほうでなんか旨い料理を食べさせてくれるような感じがするんだよね。どこか知らない？」と質問された。なんと琵琶湖の北側、余呉湖畔には、僕が愛してやまない「徳山鮓」という唯一無二の料理宿があるのだ。ここは発酵ということやジビエなどを巧みに使いこなし、全国の料理人や食いしん坊から垂涎の宿として知る人ぞ知る、存在であった。

僕は即座に「立川さん『徳山鮓』はご存知ですか」と聞くと「知らないけど、そこはいいの?」との返答。「間違いないです」と答え、共通の友人と三人で出かけた。鮒寿司に始まり、熊と花山椒の鍋、山菜の天ぷらなど余呉周辺の産物をたらふく食べ「ここはすごいね」という評価をしてもらった。案内人としては、ホッと一息をつき、その勘というか嗅覚に改めて敬意を払ったのである。

エンタテイメントに関する蓄積はすごいものがあるのだが、何を察知するのか、それは勘の鋭さが大きく左右する。立川さんの勘の正体を知りたいと思うのは、僕だけではないはずだ。

流儀

年単位

自分の事務所を作ってからは社員に給料を払っているけれど、人から給料をもらったことはありません。組織に属したことが一度もないからね。

ボリス・ヴィアンの思想で言うと、ひとつの仕事しかしていないと娼婦的というか、大切なものを犠牲にしなければならないときが来るし、組織に属しちゃうとそこでがんばらなければならなくなって、身を守るために圧力に屈しなければならなくなります。

だけどいくつも仕事があると、ひとつがダメになりかけたら別のことをやればいいってことになるでしょ。

仕事についてはお金では決めません。引き受ける基準は、自分にとっておもしろいかそうでないか。あとは楽しくなるか、やる意義があるかどうかです。

大切なのは自分がその仕事をしたいかどうかであって、したいとなれば持ちだしになってもやりますね。もちろんギャラのいい仕事もあるわけだから、収支は一年を通して、最終的にちょっとプラスになればいいという考えでずっとやってきました。

僕は損をするっていうことに恐れはないんですよ。どこかに運も芸のうちって考えがありましてね。

たとえばいろいろな仕事をしていると、アーティストと話す機会もあるじゃないですか。これからこんなことがしたいんだよねとアーティストが言ったとする。別のところでまったく関係ない広告代理店の人と話をしていると、その人が実はこんなキャンペーンをやるんだけど、いい人いないかなって言ったりする。

それってあのアーティストにぴったりだと結びつく。あとは本人かそのマネージャーに連絡するだけ。三、四回電話して話が成立すると数パーセントのプロデュースフィーかコーディネーションフィーが入ってくることもあります。それで持ちだし部分を補ったりする。僕もハッピーだし、みんなもハッピーだよね。

そんなことが二十代から一貫して続いているんです。

端数

仕事の金額でも端数は嫌なんですよ。

五十万くらいの仕事なら五十万。百万なら百万でいいんです。それを何と何と何をするから五十二万三千円でお願いしますと提示するのが嫌なんです。だったら五十万円か六十万円にしてほしい。

これはいいか悪いかの話ではなくて、僕にとって心地がいいか、そうでないかという話なんです。

見積書を書いたこともありません。打ち合わせのときに五十万とか百万とか決めたうえで見積書が必要って言われたら、詳細はそっちでまとめて確認だけさせてくださいって相手に振ります。

税務調査のときに、どうして社長の会社には見積書がないんですかって聞かれて、嫌いだからって答えました。本当のことですからね。

そんなことでいいんですかって税務署員が言うから、いいも悪いも、じゃあ、あなたは懐石料理を食べに行って、この一皿の内訳はいくらですかって聞きますかって答えたんです。

そうですよねってシュンとなっていました（笑）。

だって僕らの仕事って、おまかせ割烹みたいなものじゃないですか。

これくらいでって言われたら、わかりました、一生懸命やらせてもらいますって世界でしょ。それを、あともう少し予算があればどうのこうのとか、予算がないからこれくらいでなんて、そんなことを考える時間が僕にとっては無駄だし、ストレスです。

儲かる仕事もあるけれど、儲からない仕事もあります。一年を通して黒字になればそれでいいと思って、ずっとやってきました。

だから競合とか入札も嫌いですね。引き受けません。

僕と誰かを秤にかけるなんて、僕にも相手にも失礼な話。ですから競合って言われたら、降りますってその場で席を立ちます。

現に何度も席を立ったことはありますよ。毎回、相手は目が点になって唖然としていましたけどね。

言う

ブルータスの「パリの男たち」という企画でパリへ行って、会いたい人に会いまくりました。そのひとりにピエール・バルーがいます。

その頃バルーはパリの郊外に隠遁していて、自分のことを「はぐれもの」って言って世の中を斜めに見ていた時期だったけど、やはり僕とはとても気が合って、また閃めいたんです。

何のあてもなかったけれど、レコードを作りたいって。バルーに言うと「それはおもしろいし、いい話だけど、レコーディングは日本でしたい」って言うんですよ。彼にしてみればただ単に日本に来たかっただけかもわかりませんが。

それで日本へ帰ると加藤和彦と高橋幸宏に電話して、バルーのアルバムを作りたいんだけど協力してくれないかって言うと、ふたりとも本当かよ！　おもしろいじゃん、やろうぜっていうことになって、みんなで「サラヴァ・ジャポン」って会社まで立ちあげてレコードを作ったんです。

結局、バルーとはアルバムを二枚も作り、東京とパリでコンサートをやることになりました。

大切なのは、まず言うことなんです。思っているだけじゃダメ。言葉にして、発信して、動かざるをえない状況を作ることが大切。言葉にして動いたら、まわりも巻き込めます。

一つひとつ確約や確信を得てから動こうなんて、石橋を叩いてばかりいたら何年かかるかわからないし、その間に熱は冷めてしまいます。

遅刻

打ち合わせに遅れて、すみませんって謝りながら入るのって最低だと思っています。相手に失礼です。

人に謝ることが嫌いで、かっこ悪いことが嫌だからという理由もありますが、何より最初からマイナスのポジションから始めるようなものです。だから僕もスタッフも、交通機関の乱れ以外で遅れることは絶対にありませんね。

それは〆切りも同じです。

〆切りを延ばしてくださいって言うくらいなら、何がなんでも書き上げます。

ただ、スケジュールを見て、やばいなって思ったら、二、三週間くらいまえに、次の〆切りの件なんですけど、こういう事情なので五日ほど延ばしてもらってもいいですかって相談をすることはあります。

でも、前日とか前々日に、間に合わないからちょっと延ばしてもらえませんかってお願いするのは、かっこ悪いからしません。

センスと情報

苦労したとか、大変だったと思ったことはないんです。

大変なことや時期もあったとは思うけれど、したいことをしたいようにしてきたので後悔したり、辞めたいと思ったことはないですね。

日劇のロック・カーニバル以降、キョードー東京からいろいろと仕事を頼まれるようになって、タツさん、ビートルズを日本に呼んだ永島達司さんね、キョードーの生みの親で、日本初の音楽プロモーターって言われている人なんですけど、そのタツさんから会いたいと言われてお会いして、それからごはんをいっしょに食べる間柄になったんです。

タツさんにはとてもかわいがっていただきました。

一九七一年だったかな、仕事の規模も大きくなり、何より一九七〇年の田園コロシアムでのザ・タイガースなどのコンサートで稼いだ分の税金を払わなければならなくなってひと騒動ですよ。仕方なく親父に相談して、会社の経理の人と税理士さんにも入っていただいて打ち合わせをして、税務署の人ともいろいろ交渉して処理することができたんです。

経理の人がこれからもこういう仕事を続けるんですかと訊くから、もちろんですって答えると、それなら法人にする方がいいということで「株式会社立川事務所」を設立したんです。

事務所をどこに構えようかなと考えているとき、タッツさんに事務所のことを話したら、青山にある僕のビルに空いている部屋があるからそこを使えよって言ってくださったんです。

「でもタッツさん、僕は定期収入もないし、毎月家賃を払えるかどうかわかりません」

って言うと、

「何言ってんだよ、家賃なんていらないよ」

って言うんです。

「じゃあ僕はどうすればいいんですか」

って聞くと、タッツさんは一言、

「僕はユーのセンスと情報がほしい」

って。

タッさんには本当にお世話になりました。

©名越啓介（UM）

最小限

僕の事務所はそんなに人を雇いません。ずらずら連れて歩くのはかっこ悪いと思っているし、それに少ない方が確実に物事を進めていくことができると信じているからです。

会議でもそうでしょ。四人までですね、話が決まって物事が動いていくのは。それ以上だと、みんな勝手な方向を向いて自分のことしか言わないから、決まることも決まらなくなります。

あと、僕が学んできた人って、みんなひとりなんですよね。マネージャーかスタッフがいるだけ。伊丹さんも吉川さんっていう人がいただけです。セルジュ・ゲンスブールはマネージャーすらもいませんでしたからね。エージェントだけです。

現在、僕のところは増田くんだけ。ふたりだとコミュニケーションも密になるから一心同体的になるし、役割分担も明確になります。

たとえば、かつて伊丹さんに連絡したいとなると、仕事のことだと吉川さんを通さなければつながらなかったし、僕のところだとメールも含めて増田くんにつなげた方が速いし効率がいい。携帯電話がない時代は特にそうだったから、彼らが秘書的な役割も担うようになって、連絡も彼らがふるいにかけることで、伊丹さんや僕には必要な連絡しか届かなくなります。

僕の事務所のスタイルも、伊丹さんのやり方を踏襲したってところはありますね。

判断

僕は判断が速いんです。

車でも、ゲージの目盛りの音がちょっとおかしいなと思ったらすぐに調べてもらいます。そのうちに直るだろうとか、ちょっと様子を見ようとか、自分でどうにかしようとは思いません。すぐ車屋さんに連絡します。

その車屋さんとも、もう何十年の付き合いになります。当初はちょっとしたことですぐ連絡してくる人って、向こうも怪訝な顔をしていたけれど、最近では、立川さんくらい速く持ってきてくれたらたいていは直りますからいいですよねって言われます。

何でもすぐに決断するのがいいんです。様子を見るとか、引き延ばすのがいちばんいけない。悪いのが進むと直るものも直らなくなります。

人間関係もそれは同じですね。

嫌だなと思ったら、がっつりいくか、離れるかを決めないといけない。

「嫌だな菌」はジワジワ浸食してきてストレスになるんです。

やばいかなって思いつつも何とかなるだろうと我慢したことって、振り返ってみると、いい結果になったことはほとんどないですね。逆に我慢した分、それに比例して損もでかくなる。

だから我慢はしない方がいい。

それがわかったのは六十五歳を過ぎてからです。それまではまだ山っ気もあったから、おいしそうな話なら少々は我慢して乗っかるってこともありましたが、六十五歳を過ぎてからはもうないですね。

カム・レイン・オア・カム・シャインの世界で、しょうがないなと思えるようになりました。

好奇心

好奇心とか欲がなければ、人は向上しないんじゃないかな。好奇心こそ、向上の源と思いますね。

僕はいまだに旺盛です。僕ぐらいの年齢になって、そこそこのポジションにいる人で、テレビを観ながらメモをとっている人って、そういないと思います。誰かの言葉でいいと思ったものは書きとめます。だから、テレビといえども観るときは集中して観ています。

あるときから、テレビを録画することをやめたんです。人間って録画するだけで安心するところがあるんですよね。気を入れて観ない。これって退化していく原因になるんです。

それにダラダラするって、いちばんの時間の無駄遣い。

だから観るときは、リアルタイムで集中して観ます。観ることができないときは諦めて次の機会を狙う。

食事でも食べたいと思うと、いつか行こうではなく、いま、行こうと思うようにしなければダメです。人でもそうです。会いたいと思ったらすぐ連絡して会いに行くようにする。

密度のある時間、密度のある一日を過ごしたいんです。後悔するのが嫌なんです。かっこ悪いのも嫌。側にいる人は疲れるかもしれませんけど。

テレビ出演

テレビのレギュラー出演の依頼はたくさんありました。でも、ずっと断り続けてきました。

顔がばれるのが嫌だから。顔がばれると行動が制限されるでしょ。そんなストレスを抱え込んでまでテレビに出たいとは思いません。

そしてもうひとつは、テレビに出だすと、出ることが基準になるので、ちょっと出なくなると落ち目になったって思われます。いい悪いじゃなくて、テレビってそういうものだから。それが嫌で、メインとかレギュラー出演のオファーは断ってきました。

ただ、昔の「11PM」とかBSのロックの特番なんかで、立川さんでなければというゲストの依頼の場合は別です。

あと、横尾忠則さんや篠山紀信さんといっしょに展覧会をするときのプロモーションの場合は出ることはあります。

ただ、最近は声でばれるケースが増えてきました。「ラジオ・シャングリラ」をしているせいでしょうかね。

昔、鳥取砂丘でラクダに乗っているとき、ラクダを引いている人に、聴いた声ですねって言われてびっくりしたことがありましたよ。

カム・レイン・オア・カム・シャイン

最後までかっこよく生きたいよね。そのためには諦めないことが大切です。諦めたら終わりです。

仕事をしているといろいろなことがあって、やる仕事、やる仕事のすべてがうまくいくとビルが何棟も建つんだろうけど、そんなことはありません。頓挫したり、話が変わったり、なかには詐欺師のようなヤツとか口先だけのヤツに掻きまわされるだけ掻きまわされたり。

大切なのはそれを負のスパイラルととらえるか、どこかで帳尻が合えばいいと考えて次の一歩を踏み出すかで、人生は大きく変わっていきます。

僕は「カム・レイン・オア・カム・シャイン」って歌が好きなんです。ショーの世界やエンターテインメントの世界で生きる人のアンセムと言われる名曲。その歌のように、晴れる日もあれば雨が降る日もあるわけで、一年を通じてちょっとだけでもプラスになればいいと思って僕はずっとやっています。

まわりの人に迷惑をかけずに、ごめんなさいなんて頭をさげることもなく、生きていければそれでいい。

生きて行く上で大切にしてきたのは「自由」です。ボリス・ヴィアンの影響とかで、大学を卒業して社会人と呼ばれるようになっても、企業に勤める人生にまったく興味がもてなくて、出会いを糧に自分がしたいこと、できることを楽しみながら夢中でやる。それがいまだにずっと続いているって感じなんです。

だけど僕の描く自由は自分勝手というイメージではないんです。世間から背を向けることでもないし、隠遁することでもありません。自由だから常識がないとか孤立するというのは誤ったイメージ。孤立している人は自由ではなく自分勝手なだけなんです。

判断の基準を自分に置いて生きていくこと。もちろんルールは守りますが、組織の理論とか世間の常識には縛られることなく自分の価値感を大切に生きる。それが僕にとっての自由な人。

自分の価値感がしっかりしているから他の人の価値も認めることができるし、それぞれのいいところを合わせて新しいものを作っていけるんです。僕が自由だけれど孤立していないのはそんな考えがしっかりしているから。人との関係は大切にするけれど依存は決してしない。どんなことがあろうと責任は自分で取ります。

アル・クーパーがソロデビューしたときのアルバムのタイトルにもなった「I STAND ALONE」という曲は僕の人生のテーマソングのようなナンバーなんだけど、このタイトルのようにいつまでの自由で、個人として世の中とかかわっていけたらと思っています。

この前もある人に言われましたよ。

おまえ、何も変わっていないよなって。

自由で、夢みたいなことを言って、商売して、それで一身代を築いて、おまえみたいなやつは他に知らない。たいしたもんだって。

TIME WAITS FOR NO ONE

物事は何でも思いつきと出会いから始まるということを西林さんから携帯電話のショートメールに入っていた「立川さんについての本を作りたいんですけど……」というオファーから始まって実に軽やかに作業が進み、出来上がった本を読んで改めて思った。

僕とはもう五十年のつきあいになる森永博志クンから、人間のつきあいというのは時間よりも〝感覚の濃さ〟なのだということを何かプロジェクトを一緒にする度に実感させてくれるSUGIZOまで、自分では予想もしていなかった七十年を超す人生——僕が影響を受け敬愛するボリス・ヴィアンは「四十までは生きない」と言って、ヴァーノン・サリヴァンの変名で書いた小説『墓に唾をかけろ』が映画化されたために行った試写会で試写の開始十分後に心臓停止という劇的な死を遂げている。三十九歳だった。そして十代の僕の〝憧れ〟の存在だったブライアン・ジョーンズは二十六歳でプールで溺死している。それが十三の倍数であることも運命的で、自分もその流れでと思っていたようなところがある——の中で親しくしている人たちが寄せてくれたコメントはうれしいと同時に照れ臭さもあるが、ヴィアンならではの「人に知られるということは、誤解されるということに他ならない」という一流の逆説を思い出すと、彼等はピンク・フロイドをはじめとする数々のアートワークでレコードジャケットに始まり、音楽業界のヴィジュアルの発展と進歩に大きく貢献した今は亡きストーム・トーガソンがいみじくも〝MYSTIC MAN〟と言った〝立川直樹〟という人間をとてもよく見てくれている。

そして「人間、生活の心配がなければ創作をするのはやさしいことだ。だが利子生活者でもない以上、精神的売春をする以外、創作だけで生きていけるものではない。それがいやなら他の仕事をすることだ。しかしそうなるとまた、いろいろと不都合が出てくる。数種の職業を持っていると、アマチュアというレッテルがつく。だがしかし、その世間で言うところのアマチュアが、数種の職業においてそれぞれプロであるということもあり得るのだ」といい、あらゆることに手を出し、人生を駆け抜けていったヴィアンの教えは、時空の旅を続けているような人生で、振り返ってみると、夢のような出会いを数え切れないほど形にしてくれた。

六十年代の半ば、初来日公演を見に行ってサインしてもらったアニマルズのエリック・バードンとはその数年後に彼が新たに結成したニュー・アニマルズを率いて来日した時、新宿のディスコで僕が在籍していたサミー&チャイルドが前座で出演し、それから二十数年後には〝キリンラガークラブ〟のイベントで来日公演をプロデュースするというようなマジカルな出来事は、それで一冊本が出来るくらいにあり、自分が好きな人、好きなものとは出会えてきたが、この本のタイトルにもなった「I STAND ALONE」を一九六九年に発表したアル・クーパーの来日公演をプロデュースできたことも忘れ難い思い出だ。

だから、おもしろいエピソードも山のようにある。とてもよく覚えているのはセルジュ・ゲンスブールに「人生において重要なものは？」と聞いた時の「まず、メイク・ラブ、ドリンク、スモーク、書くこと、そしてメイク……六番目が死を待つこと……シャルロット……」という答。今はすっかり大女優になったシャルロットはその時まだ七歳くらいでセルジュの家に遊びに来た時、何とセルジュは〝お手〟をさせ、あの茶目っ気たっぷりの笑顔で「どうだい、よくなついてるだろ」とやったのが最高だったし、アルときたら楽屋で話していた時に「きょう昼間にインタビューがあったんだけど、そいつがロックのトップクラスの評論家っていうから期待したのにひどかった。あれは〝ROCK〟じゃなく〝FUCK〟だね」と言ってニヤリとしたのも強力だった。

本当にうまく僕の記憶と脳ミソを料理してくれた西林さんと、僕の人生に登場してくれたすべての人に心から御礼を言いたい。

立川直樹

立川直樹（たちかわ　なおき）

1949年、東京で生まれる。70年代の始まりからメディアの交流をテーマに、プロデューサー／ディレクターとして音楽、映画、美術、舞台など幅広いジャンルで活躍。『セルジュ・ゲンスブールとの一週間』『TOKYO1969』『ザ・ライナーノーツ』など、著書も多数。

西林初秋（にしばやし　はつあき）

1962年、大阪で生まれる。コピーライターとして数々の企業のプロモーションに携わり、大阪コピーライターズクラブ新人賞、毎日広告デザイン賞部門賞など広告賞も多数受賞。映画制作や雑誌の編集、ラジオDJなど活動も多岐にわたる。

I Stand Alone

音楽、映画、アート、食、そして旅。
96のキーワードでひもとく立川直樹という生き方《スタイル》。

発行日　2020年10月15日　初版発行

語り手　立川直樹　書き手　西林初秋

デザイン　松田行正＋杉本聖士

編集　森かおる

発行者　安田英樹

発行所　株式会社青幻舎
京都市中京区梅忠町 9-1　〒604-8136
Tel. 075-252-6766　Fax. 075-252-6770
http://www.seigensha.com

印刷・製本　図書印刷株式会社

ISBN978-4-86152-814-9　C0073